CW00671609

LE PROCHAIN AMOUR

DU MÊME AUTEUR

LES JOURS EN COULEURS, Grasset, 1971.

L'HOMME ARC-EN-CIEL, Grasset, 1971.

TRANSIT-EXPRESS, Grasset, 1975.

L'AMOUR DANS L'ÂME, Grasset, 1978.

OCÉANS, Grasset, 1983.

LE VOYAGEUR MAGNIFIQUE, Grasset, 1987 (Prix des Libraires 1988).

JOURS ORDINAIRES, Grasset, 1988.

LA DÉRIVE DES SENTIMENTS, Grasset, 1991 (Prix Médicis 1991).

SORTIES DE NUIT, Grasset, 1993.

YVES SIMON

LE PROCHAIN AMOUR

roman

BERNARD GRASSET
PARIS

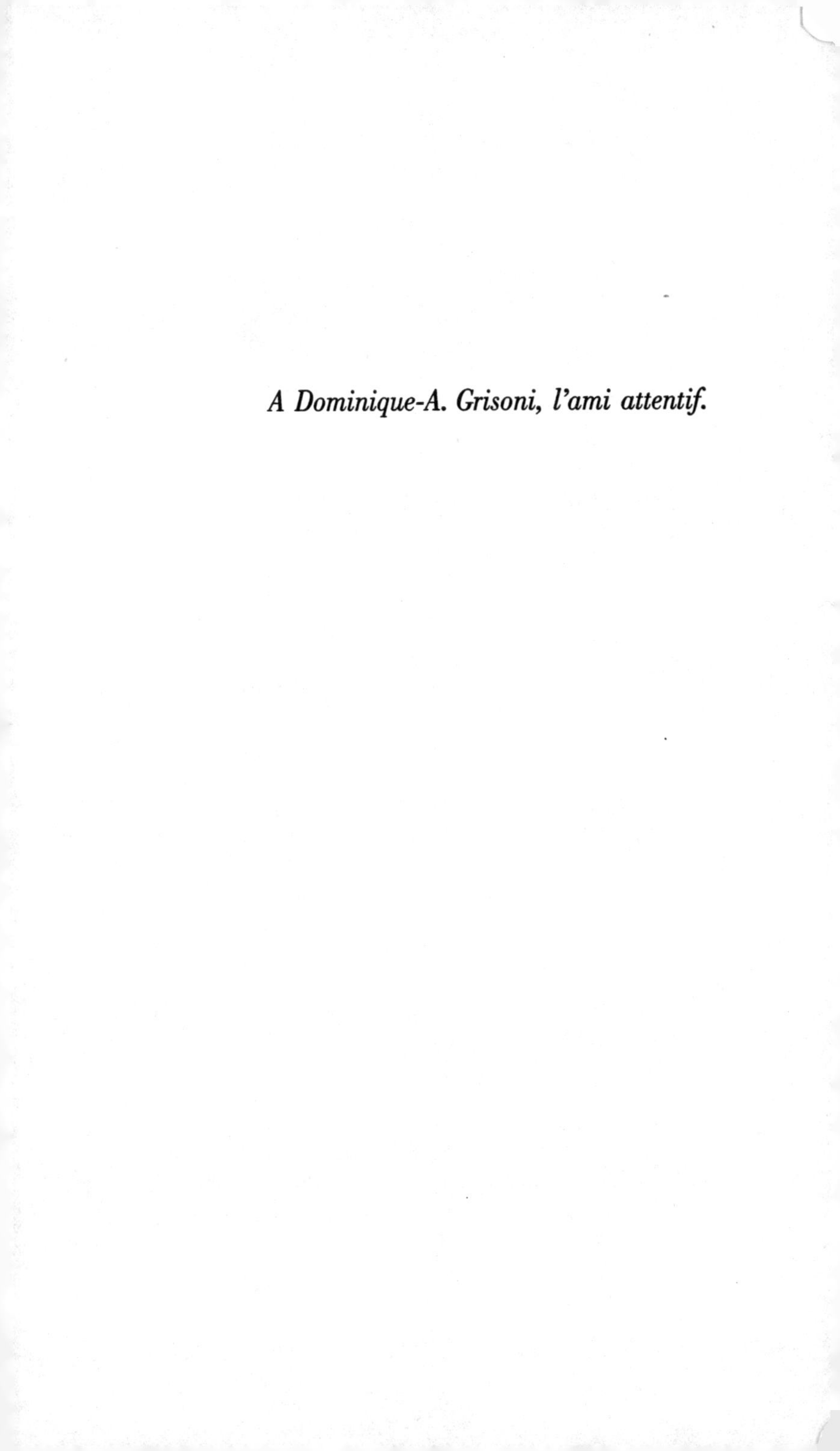

A Dominique-A. Grisoni, l'ami attentif.

I

LE TEMPS D'AVANT

« Quelque chose qui ressemblait à une tragédie tranquille. »

Georges Perec

1

Depuis le départ de Justine, je m'endormais le soir avec une bouillotte. Je la posais sur mes côtes, à même la peau, vers la gauche, à l'endroit du cœur. Et je parlais. Un monologue d'idioties lues dans le journal ou entendues à la radio et qui me revenaient par flashs. Météo, un ministre arrêté, un artiste soudain affecté par une guerre lointaine... En fait, j'avais besoin de prononcer des mots, qu'il y ait du son dans cette chambre de la nuit, en plus de la chaleur. Ce n'était pas grand-chose, mais les absences favorisent la résurrection de certains objets et souvent je riais en imaginant la tête qu'aurait faite Justine, ou une autre, voyant un ex-amant parler à une bouillotte de compagnie.

Alex, un chauffeur de taxi camerounais avec qui j'avais lié connaissance, me l'avait affirmé : « C'est la chaleur qui manque le plus ici, pour des gens comme nous. Personne ne le sait, avait-il ajouté, mais on a une peau ultra-sensible ! Les gens croient que le Noir résiste à tout à cause de l'ébène, mais l'indifférence et le soleil sont nos vrais ennemis, et nous, à part présenter nos papiers d'identité, on a aucun signe de souffrance extérieur. »

Parfois, je faisais glisser la bouillotte à la place de Justine et je fermais les yeux. J'étendais la jambe vers *elle*, je l'effleurais du bout du pouce et sentais une cuisse, un mollet, un morceau de corps d'une Justine endormie. C'est bon l'imagination, et les hommes sont vernis d'avoir autant de vides à remplir dans leur solitude. Je me disais que c'était une chance inouïe que d'avoir toutes ces parties de corps de femmes à pouvoir imaginer pendant les trous noirs de l'existence. Dix doigts de pieds, l'attache du talon, un mollet, la pliure du genou, la cuisse, l'entrecuisse, les fesses, les fossettes des fesses, le nombril, les hanches, les seins, les mamelons, les aréoles, les épaules, les aisselles, les mains, les doigts, le cou, la nuque, le duvet, la bouche, les oreilles, les lobes, l'angle du maxillaire, les joues, les cils, les cheveux... Tant de morceaux de corps imitant si bien le paradis.

Un jour, à la place de Justine, j'ai glissé un ordinateur portable dans mon lit. Ça chauffe bien les petits *Powerbook* qui ont travaillé toute la soirée à cause des poèmes et des graphiques de gestion. J'avais calculé ce soir-là le remboursement d'un emprunt sur quinze ans, les intérêts, les mensualités puis, pour finir en beauté, j'avais improvisé un hymne grandiose aux galaxies et aux naines bleues qui meurent dans l'univers en pleine indifférence.

2

Landsdorff, mon éditeur, me dit, c'est bon un chagrin d'amour, écris, invente, souviens-toi, profite des malheurs de ta vie pour remplir des pages, n'hésite pas, cajole tes larmes, exhibe-toi, tu as toujours écrit sur les jeunes couples urbains ou les vieux écrivains d'Europe centrale, parle de toi à présent, prends le *je* comme un scalpel et va triturer derrière tes paravents tout ce que tu n'as pas osé dévoiler, c'est ça aussi la littérature, des tremblements, du silence, l'attente d'une sonnerie de téléphone, le Lexomil, les crampes à l'estomac, une vie qui se détruit...

Moi, je ne disais rien, pour une fois qu'il parlait, je profitais. Je pensais déjà à la clinique du docteur Ferguson où on accueille les types de mon genre qui bégaient avec leur histoire et qui adorent être sous perfusion. Je dis à Landsdorff que je ne savais pas écrire avec le malheur, que j'avais tout le temps envie de vomir et que ça empêchait les mots. Que j'avais besoin d'un minimum de sécurité !

« Tu veux combien pour être tranquille, me dit Landsdorff.

– Je voulais dire, de l'affection, du plaisir...

– Mais tu l'as, je suis auprès de toi, embrasse-moi, maintenant, là si tu le désires. Ou tu veux que ce soit moi qui t'embrasse ? »

J'étais un peu étonné. D'habitude il aimait parler contrat et prix littéraires. A la rigueur, littérature, mais jamais nos échanges charnels n'avaient dépassé la poignée de main. Je ne savais pas s'il se moquait ou s'il s'était remis à boire. Peut-être était-il bouleversé par l'intrusion du CD-Rom dans le monde de l'édition et confondait déjà un téléfilm avec un roman.

« Tiens, je t'ai trouvé un titre, reprit-il en revenant à l'assaut : *Le prochain amour*, tu parles de tes petites crampes à l'estomac, tu en as des crampes à l'estomac ? Et en même temps tu délires sur une femme à venir, un idéal, la fille qui te prendrait dans ses bras, avec qui tu roulerais en Aston Martin sur une plage d'Irlande et qui te ferait oublier Justine qui, entre nous, n'était pas... Bref, le malheur présent et l'avenir radieux avec ton rêve de toujours. Tu as bien une femme idéale ?

– Oui, ma mère !

– On n'en sortira pas », dit Landsdorff, découragé.

3

« ... Je lui ai répondu : ma mère », dis-je à Walser qui m'attendait dans une brasserie du boulevard, et qui se contenta de sourire. Je continuai sur un autre ton. « On s'est fragilisés, Walser, tout le monde sent cela. Il y a les attentats, les femmes qui papillonnent avec le premier venu mais c'est toujours à nous qu'elles demandent de faire leur enfant.

– Landsdorff vous a donné le chèque?

– Exact. Il veut que j'aille écrire dans un vieil hôtel de montagne, à la frontière suisse allemande... Le Walden Hôtel.

– Ecrire quoi?

– Il m'a déjà trouvé un titre, dis-je à Walser : *Le prochain amour.*

– Il est rapide Landsdorff, vous êtes en plein deuil amoureux et il en est à l'étape suivante. Il ne vous a pas présenté de fille, par hasard? »

Walser, tout en me parlant, jouait avec son carton de bière sur lequel il avait écrit au verso (je reconnus son écriture) : « Je vous regarde et vous ne me voyez pas. » Je lançai un rapide coup d'œil autour de moi pour deviner, sans avoir à le lui demander, qui avait pu le décider à écrire cela en m'attendant. Mais je ne remarquai personne et répondis que non, Landsdorff ne m'avait pas présenté de fille, et c'était tant mieux! J'ajoutai que, de plus, j'aimais vivre avec cette jolie souffrance qui frappait chaque matin, à mon réveil, peu enjouée, mais tellement fidèle... « Elle taraude, Walser, elle entre comme un petit rat à l'intérieur du ventre, dans la tête, elle fabrique des images, des sons qui traversent tout le corps comme un courant électrique. Jusqu'à présent la vie m'avait gâté, Walser, et là, elle vient de m'offrir la peur et le malaise. Fragile, je vous disais ! Regardez autour de vous, là, sur cette terrasse de café. Il fait beau, c'est le début de l'été, les filles marchent jambes nues, on a envie de remonter le long de leurs cuisses, de partir une fois de plus en exploration, et pourtant, tout ça transpire la méfiance, les femmes épient les hommes, les hommes épient les femmes. Peur des autres, de l'autre, de l'intrus, de celui qui va prendre une parcelle de peau, peur du corps étranger, de la maladie, de demain, d'après-demain, peur des jours qui passent, des secondes... Parfois, j'ai peur de vous, Walser !

– Vous voulez rire !

– Pas du tout. J'ai même pensé un moment que vous étiez secrètement parti avec Justine. Je sais que vous l'aimiez. Rassurez-vous, on est toujours amoureux de la femme de ses amis. La proximité, n'est-ce pas ? la proximité et l'affinité. Et puis, il n'y a rien de plus barbant que d'avoir à draguer une inconnue, faire le malin, lui proposer d'aller habiter à la campagne si elle est de la ville, et vice versa, tout de suite trouver la faiblesse, consoler lorsque l'on sent une once de lassitude : les bons dragueurs cherchent, à la seconde, la fêlure par laquelle ils vont engouffrer leur plan de bataille... Pour en revenir à notre affaire, je ne vous l'avais pas dit jusqu'à présent, mais le petit rat qui entre chaque matin dans ma colonne vertébrale m'a chuchoté un jour, Walser, Walser, Walser ! Et aussitôt je vous ai vus tous les deux marchant dans Paris, insouciants, tranquilles comme des amants nouveaux. Vous alliez bien ensemble ! C'est normal, vous êtes mon ami et je l'aimais. »

Walser ne disait rien. Il regardait les voitures de la rue. Ou peut-être ne regardait-il rien. Les yeux dans le vague, il se voyait exister, seul sur son rameau de vie, ballotté par le vent. Il sentait les battements de son cœur et il lui semblait entendre le marteau d'un forgeron qui modelait un métal rougi, brûlant, ardent et parvenait, à force de coups, à tordre la matière rebelle, épuisée d'incendie.

4

Un après-midi, je me rendis chez ma mère dans le XIXe arrondissement. J'avais depuis longtemps un double de ses clés et je savais qu'à cette heure, elle avait pour habitude de faire la sieste.

Une mère endormie.

Je pénétrai dans le petit trois-pièces en essayant de faire le moins de bruit possible et restai un moment dans l'entrée. Sentir l'odeur. Son odeur. L'appartement sans bruit, sans voix, et l'odeur de ma mère. La baie vitrée du salon était entrouverte et un léger courant d'air faisait voleter le rideau en tulle. Je gardais pour la fin l'instant d'entrer dans sa chambre et de l'observer dans son sommeil. Dans la cuisine, des pinces à linge étaient posées sur l'évier à côté d'une tasse à café rincée. J'avançai, en humant comme les chiens les petits nuages d'air où pouvaient s'accrocher les parfums de ma mère. Je savais à l'avance que vers la salle de bains je reconnaîtrais *Issey Miyaké* que je lui offrais régulièrement. Mais là, c'est autre chose que cherchais.

J'arrivai en dernier dans la chambre dont la porte était restée béante. Une pénombre... Ma mère allongée sur le dessus-de-lit en coton blanc, une petite robe d'été en tissu imprimé, les jambes nues. J'entendais sa respiration, paisible, avec de longues inspirations et l'air qui ressortait dans un petit sifflement. Je me penchai audessus d'elle comme si je voulais l'embrasser. Mais c'est sa seule odeur que je voulais capter, les minuscules senteurs de son visage, de son corps, ce mélange serein, rassurant qui parfois me manquait dans n'importe quelle ville du bout du monde : son odeur de toujours, d'avant *Issey Miyaké*, ce que j'avais connu lorsqu'elle me lavait le dimanche matin dans une grande lessiveuse en étain, lorsque je lui roulais des bigoudis le samedi soir, qu'elle venait refermer mon *Buck Danny* et me faisait un baiser avant que je m'endorme.

Ainsi courbé, je me donnais l'impression de l'alchimiste penché sur l'objet de ses préoccupations, en attente, sachant qu'un miracle pourrait se produire d'un instant à l'autre. A quoi rêvait-elle ? Etait-ce un cauchemar ou un de ses éternels retours vers l'enfance, sous l'occupation allemande, avec de jeunes soldats qui lui demandent d'aller chercher de l'eau à la fontaine ?

Une sirène de police traversa la rue, de l'autre côté de l'appartement. Je vérifiai si ce trouble se répercutait sur ses paupières, mais rien ne bougea. Ma mère endormie, vulnérable, une femme et son histoire allongée et tranquille, les mains posées sur la poitrine, presque en position de prière, à peine jointes. Je savais qu'en me rapprochant de son cou j'aurais la quintessence de ce que j'étais venu chercher, le parfum qui ne me rappelait aucune image ni geste, un simple parfum nu, celui du début de mon histoire avec cette femme, bien avant que je sache que les souvenirs existaient et qu'on pouvait les porter toute une vie dans son corps, comme un livre, imprimés à jamais.

5

Walser me prit la main et dit : tout ira bien. Il répéta encore : tout ira bien. Moi, je savais que c'est tout le contraire qui allait se passer, que tout irait mal, que les choses ne pouvaient qu'empirer. C'est comme ça les maladies, l'univers et l'amour, rien ne va jamais de mieux en mieux, l'entropie est la règle.

Je demandai à Walser ce que Justine pouvait faire à cet instant. « Est-elle triste ?

– Deux fois, aujourd'hui, elle a voulu vous téléphoner, me dit-il. Elle a composé votre numéro puis, à la deuxième sonnerie, elle a raccroché.

– Pourquoi ?

– Parce que en ce moment, comme vous, elle joue. Elle a éliminé de sa vie tout naturel. Elle a envie d'appeler, elle esquisse le geste et se tait. Mais ce comportement inhabituel déborde largement votre personne. Elle semble plus enjouée qu'à l'ordinaire, elle veut que chacun sache que tout va pour le mieux et que votre séparation est une péripétie. Elle dit et répète qu'elle s'est inscrite à un cours de langues, à un cours de danse moderne, qu'elle envisage des déplacements qui pourraient devenir importants pour son avenir...

– Mais, est-elle triste ? demandai-je encore à Walser.

– Oui, au fond d'elle, elle est triste, affirma-t-il. Elle écoute souvent une chanson anglaise qui dit à peu près ceci : "Il y a au fond de moi une pierre qui me pèse..." »

Walser alluma un cigare et me demanda à brûle-pourpoint ce que je savais des scarabées. Je répondis que j'en avais écrasé lorsque j'avais douze, treize ans, des vert et or magnifiques, insistai-je, mais je ne savais rien de particulier sur eux. Après avoir tiré les premières bouffées de son cigare, il cala à nouveau ma main entre les siennes, puis tourna la tête vers les arbres du parc. « Les scarabées viennent d'Asie, me dit-il, ils portent sur leurs élytres l'or des premiers rois du monde, tous descendants de la déesse Amaterasu. la divinité du soleil. Et c'est l'or du soleil, créateur de toute vie, qui est collé sur leur carapace de misère. Vous rendez-vous compte, ces insectes de l'éternel ont traversé des montagnes, des déserts et des forêts pour que des morveux occidentaux les écrasent comme des punaises puantes ! »

Je pensai que Walser avait allumé un cigare d'opium, mais ça sentait le Cuba à plein nez et je devinai qu'il inventait une histoire pour me distraire.

Il avait dit que tout irait mieux... Ma paume collée au creux des siennes, je savais que tout irait mal. J'ai alors pensé à ma chance d'avoir à cet instant un consolateur personnel. Aujourd'hui, c'est l'homme de télévision qui prend cinq millions de mains entre les siennes et dit : vous verrez, tout ira bien !

Moi, j'avais Walser, et ce n'était pas rien.

6

« CHERCHE SECRÉTAIRE POUVANT À TOUT MOMENT DEVENIR INFIRMIER/CONFIDENT. »

C'est la petite annonce que j'avais publiée dans *Le Figaro* et *Libération* et qui me fit rencontrer Walser il y a trois ans. Je le choisis parmi une dizaine d'autres propositions car, en plus du doctorat de lettres qu'il venait d'obtenir, il possédait un brevet de secouriste. Moi, je voulais un perfusionniste de première catégorie en cas d'asphyxie mentale et de confusion sanguine. Walser se révéla très vite être plus qu'un ami.

En fait, c'est à lui qu'il faudrait demander ce qu'il attendait d'un écrivain chagrin, qui aurait volontiers accepté un boulot à la sécurité sociale avec horaires, déficit et retraite anticipée plutôt que d'avoir à rester seul devant son clavier d'ordinateur, à prier Dieu et tous les saints pour le ramener chez les vivants afin de ressentir des sentiments simples.

Rien n'était simple chez moi. Un de mes médecins, le docteur Ferguson, m'avait dit que le fait d'avoir autant de petites antennes branchées sur tout, l'actualité, les mots prononcés par les femmes, leurs seins et les visages amaigris du tiers monde me rendait si vulnérable que j'étais plus atteint que la moyenne par le malheur endémique de la fin du siècle. « Vous allez morfler, avait-il insisté, à votre place je me mettrais à prier tous les jours, à brûler des cierges, à verser des oboles aux associations et je m'offrirais un *Plan-Epargne-*

Retraite avant que la méchanceté anonyme ne s'abatte sur moi... Méfiez-vous de la bêtise de certaines femmes. Leur méchanceté n'est rien, ni leur amour intéressé, ni même leur peu d'amour à votre égard, mais la bêtise des bécasses, c'est, tout à la fois, le désamour, la cruauté naïve, l'oubli des serments, et si en plus elles sont très jolies, vous vous imaginerez en mission. Toutes les humiliations qu'elles vous feront subir ne seront qu'accidents puisque votre rêve sera de les transformer en un mélange sublime de Claudia Schiffer/Simone de Beauvoir. La beauté et le savoir!

« En fait, rajouta le docteur Ferguson, les bécasses n'apportent que le déshonneur et le suicide. »

J'en reviens à Walser : pourquoi tant de sollicitude, d'attentions et d'attachement à mon égard? Landsdorff prétend que Walser est homosexuel, mais qu'il n'en parlera jamais ouvertement et que de le voir avec de très jolies filles, des mannequins, des comédiennes ne signifie rien, sinon, une grande habileté à masquer la réalité.

En fait, Walser fit un seul et unique geste amoureux à mon égard, sous forme de lettre. Nous nous étions disputés à propos du cinéaste Kusturica qu'il avait traité de faiseur psychopathe et que moi, je considérais comme un poète mégalomane et souffrant. La lettre que me déposa un soir Walser avant de me quitter pour une de ses nombreuses soirées mondaines disait à peu près ceci : « *Mon amour pour vous est une divagation de mon esprit sur ce que je crois être l'essentiel des choses : la sollicitude infinie pour une personne où l'enjeu est nul.* »

7

C'est encore Landsdorff qui fit des siennes. Il me convoqua dans le bureau éditorial avant un de ses voyages. « Si vous êtes malade, fatigué, chagrin, etc. je fais engager illico un *supplétif appointé*. Vous lui raconterez vos rêves, vos phantasmes. Au lit, elle était comment Justine ? Vous n'en parlez jamais... Mais ça ne fait rien, inventez tout avec le type auquel j'ai pensé, deux libidos valent mieux qu'une... »

Décidément, mon éditeur avait changé. J'avais connu un grand bourgeois distingué, au langage châtié, et je me retrouve avec un directeur de rock FM. Ce qui aurait dû me rassurer, finalement m'inquiétait : je ne parvenais pas à comprendre l'urgence de ce livre que je devais lui écrire. Ce que j'essayai de lui faire entendre, et j'insistai une fois encore, c'est que le malheur ne me convenait pas, que j'avais besoin de retrouver un confort pour virevolter avec les mots, qu'il me fallait être conquérant et non pas être là, avec Walser pour me tenir la main, en attendant l'hypothétique coup de fil de Justine.

« J'ai honte de moi ! dis-je à Landsdorff.

– Mais, on se moque de votre honte. La vie, c'est l'action. Chaque fois que l'on se laisse gagner par la paresse, la frivolité ou la désinvolture à l'égard de soi, il n'y a plus d'œuvre, plus de grandes secousses, plus de nouveauté. Tout reste en l'état et évidemment très vite se dégrade. Vous n'avez pas le droit de me dire que l'été ne convient pas à votre écriture, qu'un deuil amoureux vous inhibe, que sais-je encore ? Vous *devez* écrire, c'est une nécessité impérieuse et vos petits malheurs d'Occidental pourri-gâté – stressé, j'en conviens – sont tout pour vous et rien pour les autres. Je compatis, j'imagine, c'est pénible, emmerdant, exécrable... Il ne vous reste donc qu'une seule chose à faire, vous remettre dans la marche du monde. Ça signifie pour vous : écrire, écrire, écrire. Vous voulez du champagne ? »

8 / Légèreté.

Justine danse, elle semble conquérir l'air et la pesanteur à chaque pas. Elle glisse, s'élève, dessine une figure dans l'espace, y laisse son empreinte – une mémoire de l'air – un court instant, puis se laisse aller vers le bas, comme une respiration obligée avant de repartir à la quête de l'espace. Elle aspire et expire l'air avec son corps tout entier, les yeux droit tournés vers l'infini, ailleurs que là où elle se trouve, et façonne son corps afin qu'il traduise un poème de gestes qui se déroule à l'intérieur de ses muscles, de ses articulations, de sa mémoire. Justine saute, plie les genoux, étend les bras, courbe ses poignets, ses chevilles, ses cheveux déroulés sur ses épaules flottent, vaguent et s'emmêlent avec le vent. Justine danse, danse, danse, c'est une beauté qu'un décor du monde s'offre, le spectacle d'un corps et d'un mouvement mariés pour vaincre le poids et la gravité...

9

Nous n'avons eu le temps de rien, Walser. J'aurais voulu raconter à Justine les lacs, les écluses, le flamboiement du ciel aperçu un soir en TGV du côté de Bourg-en-Bresse, la relecture des *Mémoires d'Outre-Tombe*, mon dégoût l'autre soir devant les images d'un bombardement sur un marché de Bosnie, mon émerveillement sans cesse renouvelé pour la musique de Janáček, mes humeurs, mon stylo qui fuit et macule mes doigts... Pourquoi a-t-elle déguerpi, sans un mot, comme une voyageuse pressée face à un contrôleur timide ? Lui dire encore que sa beauté ne peut disparaître avec son départ et que le monde regorge de fruits auxquels elle n'a jamais goûté. Lui communiquer, Walser – c'est valable aussi pour vous – cette devise d'une tribu d'Afrique : *Si tu avances, tu meurs. Si tu recules, tu meurs. Alors, pourquoi reculer ?*

Lui dire que tout autour de cette planète, des pensées et des rêves circulent, invisibles, des siècles de poèmes inachevés, de pleurs secrets, de projets non identifiés gravitent, pareils à des satellites autour de nos têtes bornées, car elle est bornée, Walser, partir se perdre dans l'univers sans me rendre mes clés de voiture ! Je reprends, j'aurais voulu lui avouer, Walser, cette manie que j'ai de ne croire jamais à la durée des histoires que je suis en train de vivre et de m'en remettre à une autre personne, imaginaire, pour parvenir à faire de moi l'homme amoureux que je rêve d'être. Lui parler de cette Lucrèce peinte par Guido Cagnacci au moment où elle va se donner la mort. De honte et de désespoir. Cette magnifique Lucrèce nue – elle se trouve au musée de Lyon – un couteau à la main pointé sous son sein droit et dont le modèle n'était autre que la petite amie dudit peintre avec laquelle il traversait l'Europe et qui se déguisait en garçon pour entrer dans les auberges. Vous le saviez cela, Walser? C'est étrange, n'est-ce pas, de déguiser son amoureuse en jeune homme... Aurais-je l'idée – mais vous n'êtes pas mon fiancé – de voyager avec vous et de vous emmener dans le Paris-Amsterdam en vous déguisant en jeune fille? Je vous imagine en talons et collants avec de faux seins – car il vous faudrait de la poitrine, Walser, un soutien-gorge et du fard à joues. Je vous vois, un talon cassé, boitillant sur le quai d'Amsterdam, en pleine tempête de neige...

Mais nous n'avons eu le temps de rien, Walser, n'est-ce pas! C'est ce que je vous disais déjà tout à l'heure.

*

Walser se leva et alla regarder par la fenêtre. Il avait éteint un havane depuis peu de temps et je vis qu'il tenait son petit coupe-cigare en argent à la main. Lorsqu'il tâta sa poche intérieure de veste pour sortir un gros module de son étui, je pensai que je l'énervais avec mes histoires et qu'il devait se défouler, passer son énervement en fumant. Un *Numéro 4* (bague rouge) à la main, il me dit : « Il faut que je vous avoue que durant toute votre liaison avec Justine, j'ai été jaloux de vous. Je vous le dis comme ça. J'aimais ses mouvements, sa façon de marcher et surtout, surtout, la manière qu'elle avait de vous aimer. Il y avait mêlés, la tendresse et l'admiration, l'affection et l'amour, la confiance et la certitude que rien ne pourrait anéantir tout cela. Ces trois années ont été un supplice, puisque j'imaginais que rien de tel ne m'arriverait jamais. Ce fut un réel bonheur pour moi de vous regarder vivre tous les deux et, dans le même temps, une perpétuelle douleur contre laquelle je luttais, mais qui chaque jour réapparaissait.

– Pourquoi ne m'en avoir jamais parlé ? demandai-je à Walser.

– J'avais peur de vous perdre tous les deux. »

Walser tira de longues bouffées du cigare qu'il venait d'allumer, comme pour se soustraire, derrière l'écran des volutes, à mon regard. J'étais surpris, mais nullement triste de cet aveu. Il semblait vouloir aller jusqu'au bout de sa confession et il continua en me rappelant que c'était le comportement amoureux de Justine qui l'avait le plus bouleversé. « Chaque matin, quand je voyais qu'elle vous avait écrit une nouvelle carte postale, une lettre, un billet, alors que vous l'aviez vue la veille ou que vous aviez passé la nuit avec elle, ces petits dons, ces offrandes d'une femme à l'homme qu'elle aime me semblaient si rares, si déplacés dans le monde où nous vivons que je ne pouvais qu'envier celui à qui tant de marques d'amour étaient données. »

Je pensai au roman que je devais écrire pour Landsdorff et proposai à Walser le sujet Justine.

« Ce n'est pas une bonne idée. L'histoire est agréable, sans méchanceté, sans trahison. Vous le savez qu'elle ne vous a jamais trahi ?

– Oui Walser, je le sais, même si cela aujourd'hui n'a pas beaucoup d'importance, c'est réconfortant de savoir qu'il n'y a eu ni mensonge, ni duplicité entre nous. Jamais. En somme Justine est une personne extrêmement morale, insistai-je auprès de Walser.

– Pour en revenir à votre idée de récit, je dirais un lieu commun : le bonheur n'a pas d'histoire...

– Mais, à cet instant, je suis malheureux, Walser !

– Cela non plus, veuillez m'excuser, n'est pas intéressant. C'est un malheur ordinaire. Le passionnant, c'est l'énigme. Qu'y a-t-il de mystérieux dans tout ce qui vous arrive ? »

10

Madame Bettencourt était une femme renfrognée qui ne regardait jamais ses visiteurs avant consultation. Elle tentait de prédire l'avenir à des clients soucieux d'eux-mêmes et inquiets pour quelque chose, le futur, qui n'existait pas. Elle travaillait avec les encriers et les stylos pour les écrivains, avec des feuilles d'impôts pour les contrôlés fiscaux, avec les barillets de revolvers pour les désespérés. « Vous vous droguez », me répétait-elle à chaque séance, à cause de mes pupilles dilatées. Je devais lui répéter que c'était ma façon à moi d'être extasié par le monde et de le regarder avec cette énorme béance noire cerclée d'or et de vert.

Elle habitait le XVIIIe arrondissement, près d'un cimetière, et lorsque je me rendais à ma consultation, je ne manquais pas d'aller me recueillir sur la tombe d'un certain Arnold O'Connor, écrivain irlandais inconnu de moi, et qui avait la particularité de n'avoir ni fleurs ni couronnes. Seul un amoncellement de bouteilles vides montrait au visiteur l'attention particulière que continuaient à lui porter ses amis. Des cadavres de *Cutty Sark*, de *Ballantine's*, de mezcal *Ultramarine*, de *Jack Daniel's*.

Madame Bettencourt était honnête. Elle présentait mon avenir comme une catastrophe difficile à éviter, mais qu'à force de convictions et de confiance en l'univers je parviendrais à colmater. « C'est plein de fissures et de brèches et tout sombre dans cette fracture de bateau. Vous êtes un vrai *Titanic* urbain et c'est pour ça que j'aime vous retrouver, disait-elle. Ne vous en tenez pas à ces ruptures qui vous marquent un temps, imaginez plutôt ce qui va advenir, confiez-vous à cette femme du futur, dites-lui, attendez-la, parlez-lui quand vous êtes sur l'autoroute ou seul dans la forêt, tournez la nuit sur le périphérique dix fois, vingt fois, toutes vitres ouvertes, murmurez, hurlez, inventez-lui des paroles d'amour, racontez le rouge des flamboyants, parlez-lui encore de votre corps, des enfants que vous voulez vous offrir, du parfum et des replis de sa peau, de la pointe de ses seins, ou encore des cigares *Rey del Mundo* que vous aimez tant. L'univers est une caisse de résonance : à Tokyo, Alger, Seattle, Dublin, au cœur d'une oasis, elle percevra ces bribes de vent que vous lui envoyez chargées de désir. Habituez-vous à cela, insista-t-elle, en ma présence, seul dans le métro ou à l'intérieur de la nuit, prononcez des mots qui vous sembleront sans doute inutiles, mais *ensemenceront la planète d'un amour attendu.* »

Lorsque nous nous quittions, madame Bettencourt aimait terminer notre séance avec un café turc. Je détestais ça, mais pour le plaisir de rester quelques minutes de plus avec elle, j'acceptai cette fois encore de boire, et le liquide et le solide.

11

Les hommes sont de persévérants collectionneurs de bijoux de peau. Pas de femmes entières, mais de bribes, d'infimes et délicats centimètres de corps féminin, un poignet, le cou, le dessin d'un sexe, la forme pileuse tout autour, l'exacte pliure des cuisses, ni trop rapprochée, ni trop éloignée du centre du monde, la naissance de la nuque, le contour des seins, leur lourdeur, la frilosité des aréoles, la grosseur d'un téton, l'évasement des cuisses... Sans compter la quantité d'odeurs rencontrées tout au long de nos explorations, de parfums, de nuages qui changent à chaque partie dénichée, appropriée provisoirement comme dans un monopoly amoureux : certaines cases vous obligent à rester là, renvoient d'où l'on vient, puisque c'est le jeu délirant avec l'autre, avec la forêt, les parcours du monde et des déserts, avec des territoires qui se ressemblent mais où l'on se perd chaque fois. Car si les topographies paraissent identiques, fourré, fleuve, rivière, buisson, crevasse, vallée, ballon, crête, sommet, précipice, le ciel n'y est jamais le même, ni l'étoile polaire, ni la voie lactée, ces paysages appartiennent chacun à un morceau d'espace-temps différent. Les points cardinaux, les horloges, les naissances et les morts sont des cérémonies propres à chacun et le désir de l'explorateur est sans fin, jamais assouvi ni comblé, puisqu'il sait de naissance que la chaîne de ces univers est infinie.

Justine avait dit : « Dans une histoire, il y en a toujours un qui aime plus que l'autre. Pour nous, je sais que c'est moi qui aime plus que toi tu n'aimes. Je n'en souffre pas, je l'accepte, justement parce que c'est moi qui porte notre amour à tous les deux. »

Après l'avoir entendue prononcer cet aveu, j'eus l'inconséquence d'être rassuré. Erreur. Il est de toute évidence que celui qui aime le plus vit en permanence avec une douleur qu'il s'oblige à accepter, mais n'a de cesse de retrouver l'énergie et le pouvoir qui lui permettront de la faire disparaître.

12

« Walser, à cet instant, je ne désire rien d'autre qu'un seul visage devant lequel me prosterner, un visage qui bouleverserait mes jours, mes nuits et toute la génétique qui m'a catapulté, jusqu'ici, vers les ombres des ombres, les périphéries éloignées, comme un incorrigible affamé que rien ne rassasie.

– Il vous faudrait une rencontre fortuite, me dit Walser. Quelque chose qui vous emporte, pour lequel vous imagineriez les plus extravagants voyages.

– De l'avenir, lui dis-je, à entrevoir avec une femme que je connaîtrais à peine.

– Exactement, dit Walser, les femmes ont besoin de dates et de promesses sur le temps.

– Mais je ne vais pas me jeter sur le premier sourire venu, avec petit cul rond et dandinant, sous prétexte d'infirmité sentimentale passagère! dis-je à Walser.

– Ce que je vous suggérais simplement, me répondit-il, c'est de vous réhabituer à regarder les autres femmes, à parler aux gens, téléphoner, lire les essais qui nourriront vos récits. En somme, de ne pas vous débrancher de l'agitation des choses et des idées. – Je ne reste pas inactif, lui dis-je encore, j'écris tous les jours des débuts... – Ah oui, votre manie des débuts! Mais vous savez bien qu'un roman, c'est comme une maison, vous ne pouvez pas sans cesse changer de fondations, il faut se fixer et se dire : c'est en ce lieu, c'est en ce temps que les choses vont se construire. Vous écrivez des petits textes, c'est mieux que rien, ça vous fait garder la main, mais un roman, c'est une recherche de longue haleine, une lutte contre le temps et une victoire sur lui, c'est un gros œuvre, le flirt n'y est pas autorisé, ce travail ne peut qu'être inscrit dans la durée. Sinon, où serait le sens ? »

13

« Ne croyez pas que l'on va finir tranquillement d'un infarctus ou dans un asile pour vieux adolescents, notre histoire se terminera dans la violence, dis-je à Walser. Il y aura une fanfare avec des cuivres, des flonflons pour faire croire à une fin de film, mais ce ne sera ni moelleux, ni paisible. Ce sera une fin de vie avec du sang et de la terreur, avec des cris et des larmes et tout ce que nous avions connu, ce en quoi nous avions cru, se sera effondré bien avant que nous détalions dans les rues de Paris comme des gazelles pourchassées, bien avant que nous nous terrions dans les égouts et les artères du métro pour nous protéger de l'extrême chaleur, des radiations et des éclats. Entraînons-nous à courir Walser, allons si vous le voulez tous les matins au jardin du Luxembourg pour ne pas être pris au dépourvu et mourir bêtement pour cause d'essoufflement. Il va falloir apprendre de nouvelles souffrances – voilà un manuel que vous devriez écrire Walser –, se préparer à cautériser, à dormir avec les bruits de l'aviation, à boire moins d'eau, à se laver avec le minimum, rationner... Vous faites la moue, vous n'aimez pas que je parle comme cela, mais vous savez que j'ai raison. Il y a une torpille qui est entrée dans les têtes, tout se disloque, vos pensées, les miennes, nous ne pensons plus tout à fait de la même façon à chaque seconde qui passe. Nos systèmes immunitaires contre les idéologies les plus insensées et les plus primaires s'effondrent chaque jour. Il suffit d'un attentat de plus, d'un accident inattendu et nos muscles se contractent, nos estomacs se nouent, notre peur de vivre augmente. Nos réactions sont de plus en plus animales, des réflexes de survie, l'anxiété de l'autre, la trouille pour nos derniers bastions de tranquillité. Et il ne sera pas question comme durant la dernière guerre mondiale de courir se réfugier aux Etats-Unis puisque c'est de là-bas que sera partie la dernière folie. Il n'y aura plus d'espace protégé, plus de sanctuaire, plus de lieu sacré... Chaque morceau de terre, chaque cerveau sera livré à la médiocrité et à la violence du lopin. Vous savez ce que j'appelle *la violence du lopin,* Walser? C'est brandir ses racines comme arme de discussion, c'est croire que l'endroit d'où l'on vient autorise, pour cette seule raison, l'arrogance. »

Je voyais bien que j'énervais mon ami, il mâchouillait un capuchon de stylo, regardait par la fenêtre, respirait plus fort qu'à l'accoutumée. Il devait penser que mes soucis amoureux me faisaient divaguer, que je projetais sur les autres mes ennuis du moment. « Vous croyez que c'est l'absence de Justine qui me rend vulnérable? Mais aujourd'hui ce sont des millions de petites Justine qui s'en vont de nos cœurs, de nos maisons, de nos rêves, qui nous laissent comme des vagabonds face aux solitudes, qui nous font oublier petit à petit qui nous sommes, pour quoi nous nous sommes enflammés, un jour, lorsque nous songions à l'avenir et que nous prononcions le mot *demain* en nous régalant à l'avance du plaisir infini qu'il allait nous procurer. »

14

Pour rentabiliser mes séances auprès de madame Bettencourt, qui ne me faisait aucun cadeau, je commençai à m'entraîner, suivant ses directives, dans les couloirs du métro ou dans les allées du Luxembourg, à murmurer des incantations à une femme imaginaire. Une femme à venir, impalpable, qui, comme le prétendait madame Bettencourt, saurait recueillir à l'intérieur de son oreille cette supplique venue de nulle part, mon murmure d'univers. « Ensemencez la planète d'un amour attendu », avait dit la voyante.

J'imaginai la première rencontre et chuchotai ma déclaration, en tournant une nuit, sur le périphérique extérieur :

« ... *Vous direz : C'est vous !*

Et ce ne sera pas une question.

Moi, je dirai : J'aurai des enfants...

Mais non, il faudra se taire. Je ne dirai rien là-dessus. Les enfants, ce sont des fantômes qui errent autour des femmes. Les hommes vivent seuls, ils marchent seuls et leurs rêves sont remplis de ciel, de vagues et d'obscurs bruits de canons. Des rêves de guerres en somme, avec des plages de sable fin pour les chenillettes...

J'aurai une femme, vous, et des paysages. En général, l'un va avec l'autre : la femme et le crépuscule avec le brouillard à la lisière des forêts. D'où je sais cela ? Ça ne s'apprend nulle part. Je l'ai su lorsque j'avais sept ans, depuis, je n'ai rien oublié. Ni les rides, ni la peur de se mettre nu. L'eau glacée non plus, je ne l'oublie pas. Sur le ventre et les épaules, c'était la punition...

... Aujourd'hui, je sais un peu plus de choses sur le soleil, les abeilles et les écorces. Je sais reconnaître une centaine d'arbres d'Europe du Nord et j'ai passé plusieurs semaines de vacances au milieu des ruches. Quant au soleil, c'est ce que j'aime le plus regarder. A cause des mouches noires qui envahissent petit à petit les yeux et bourdonnent à se faire évanouir.

Lorsque j'ai de l'argent j'achète un jouet portable avec des piles électriques et je regarde ma vie sur cristaux liquides. C'est nouveau. On voit le match entre le désespoir et la naïveté et je me régale. Je joue pour perdre, pour voir ma vie au plus profond, lorsque je n'ai peur de rien et que je nage au milieu des incertitudes et de l'extrême politesse. »

15

Je me remis en éveil.

Soleil, visages, les bruits de la grande ville redevenaient de plus en plus précis à mes oreilles. Je parvins à extirper de la rumeur quelques respirations, des rires et des voix qui s'étonnent. Au café, je retrouvais le goût d'entendre le chuintement des percolateurs, une scie musicale au feu rouge d'un boulevard, le frôlement des billets de banque sortant d'un distributeur. Grelot infime d'un portable en passant devant un magasin de chaussures, un néon-pub pour la bière *Jupiler* qui crépite à une devanture, le coulissement d'une vitre de voiture. Le monde se réenchantait par les musiques qu'il produisait à chaque instant, le clapotis d'une fontaine Wallace, les câbles vibrants d'un ascenseur, le claquement de bouche de Walser tirant sur un havane. Partition sonore d'une ville... Je suis cerné, tout m'entoure et me réconforte. Je reprenais pied, mes oreilles rétablissaient le lien entre la voix absente de Justine et les éclats de voix anonymes qui venaient combler ce vide. Je m'emplissais de cliquetis, de tumulte, d'harmonies... Tout était bon, le vent, les bateaux-mouches qui fendaient le fleuve, le flash des appareils photo, les touches vocales du téléphone, le frottement des balais en plastique vert des ouvriers de la voirie...

Et le bonus de deviner, lorsqu'une voix s'éraille, le trouble caché d'une émotion ou d'une timidité.

Walser me dit, allons au bord de la Méditerranée, il ne vous manque plus que les sons du large!

Deux billets d'avion, et le lendemain nous étions dans un petit hôtel en bord de mer, au Lavandou.

Je passai une partie de la première nuit à écouter les vagues, assis en tailleur, face à une obscurité que je trouvai rassurante.

Justine s'en allait une deuxième fois, sans douleur, se perdant à l'intérieur de la nuit, dans le gouffre des étoiles, aspirée par cette conque gigantesque de la Méditerranée d'où surgissaient, mêlées, des voix gitanes, des violons vénitiens et l'injonction pressante d'avoir à terminer, pour soi, ce que l'existence avait disloqué et que, jusque-là, je n'étais pas parvenu à accepter.

16

Walser nageait comme un dauphin. Il passait de la piscine de l'hôtel à la mer, n'arrêtait pas, ne se séchait pas, brasse, planche, sous l'eau, crawl, plongeant par plaisir, rejetant ses cheveux longs et noirs en arrière lorsqu'il ressortait de l'eau. Moi, je me contentai d'un aller-retour vers une balise à environ cent mètres des rochers, puis revins m'étendre sous un parasol. Des enfants jouaient avec des bouées en forme de requins ou de sous-marins et éclaboussaient sans égards quelques couples qui avaient eu la malencontreuse idée d'avoir choisi la bordure de piscine pour s'étendre au soleil.

Nous avions réglé, le matin même, au petit déjeuner, l'unique conférence que j'avais accepté de faire, à l'université de Bordeaux, avant les examens et les départs en vacances.

Walser m'accompagnerait comme toujours. Comme partout.

17

Les yeux fermés, tournés vers le ciel, des ombres courent tout autour de mes pupilles, elles dessinent parfois des larmes ou des ébauches de visages, je suis là et absent, j'entends des bruits vagues de conversations et, avec ces formes sombres qui roulent sur le globe de mes yeux, je suis ailleurs, vers chez moi, à l'intérieur, sous la protection du soleil, caressé par les rires et les éclats d'eau. Depuis le départ de Justine, j'ai eu le sentiment de vivre trois hivers en un seul. A cet instant, je me trouve dans la fournaise, au cœur de la lumière, solitaire, entouré des seuls bruits qui me conviennent, le corps enveloppé de mille petites mains attentives et doucereuses.

Le ciel, le soleil, la Méditerranée, enfin redevenus complices, sollicitent mon entrée dans le monde de la beauté et des licornes, là où il suffit de respirer correctement pour que l'oxygène ressemble à un sirop d'orgeat et se répande dans les alvéoles de la respiration pour apporter sa dose quotidienne des désirs.

18

J'eus alors l'agréable sensation que tout venait de se réordonner et qu'un magasinier astucieux avait trouvé l'urne où ranger pour toujours le film de mon histoire, dont le monde avait été témoin. Car je savais cela, que rien ne se déroulait dans le secret des cœurs et des chuchotements, que des millions d'antennes recevaient nos émotions pour les inscrire dans les molécules des gaz rares, à l'intérieur des particules qui étaient partout, autour de nous, dans nos respirations et nos pensées. Il fallait, pour qu'une histoire cesse de tourmenter ceux qui l'avaient inspirée, que toutes ces parcelles de mots et de promesses, ces infimes morceaux de gestes et de jouissances se retrouvent dans une nasse de l'espace et s'anéantissent d'ennui et de lassitude. L'oubli, c'était cela, un trou noir où les amours passées, lasses de rayonner, se referment sur elles-mêmes pour disparaître à jamais.

Là, en plein soleil, cerné par les paysages de la Méditerranée, les ifs et les eucalyptus, les rochers déchiquetés et quelques sirènes antiques prêtes à lancer leur chant au ras de l'eau, mon amour avec Justine venait de trouver sa niche d'univers et cessait à l'instant même de tourmenter ma vie.

II

IRÈNE

« Quelle peut bien être cette "chose" qu'une personne n'est pas et qui nous la fait aimer en dépit de ce qu'elle est ? »

Nicolas Grimaldi

1

Justine bouclait un cycle de ma vie.

Je ne le savais pas encore lorsque je sentis les dernières séquelles du deuil me libérer, je pus simplement dire qu'il y avait eu Justine et les autres. Celles d'avant.

Cadeaux de la vie ou rendez-vous manqués de l'existence, je suis cet homme qui s'est enfoui dans leurs bras, qui a léché leur peau, qui a joui en elles, sur elles, qui a caressé, attendu, espéré.

Nos larmes parfois se sont mélangées sur les oreillers défoncés, sur une nappe de restaurant, sur nos joues rapprochées. *Aimer, amour, amertume*, comme des écolières, je les ai saisies, prises par la main, j'ai capturé un instant de leur vol et nous avons voyagé, acheté des gelati, exhibé nos passeports aux frontières, insulté des policiers arrogants, bredouillé de vagues mots étrangers... Nous nous sommes regardés, contemplés, j'ai embrassé leurs nuques, j'ai admiré l'ombré de leurs paupières, j'ai collectionné leurs parfums et elles m'ont consolé dans leurs couvertures de songes.

A l'une, j'ai donné rendez-vous sur la muraille de Chine et nous sommes arrivés l'un vers l'autre, épuisés de milliers de kilomètres, de froid et de marche, de pensées troubles et moroses, d'iris et de glaïeuls, et nous nous sommes quittés à la seconde même où nous nous retrouvions pour finir d'arpenter, solitaires, et la muraille de Chine et le reste du monde.

A l'une encore, j'ai offert un anneau, à une autre une clé, à une autre un diamant.

Un enfant, un seul, est resté enfoui dans le rêve de l'une d'elles et dans un rêve à moi.

2

Puis Irène est arrivée.

Rien ne ressembla plus alors à ce que j'avais connu.

Avec elle, tout me devint étranger, j'apprenais, elle innovait, j'aimais, elle aimait, je questionnais, elle se taisait.

Je l'ai appelée cabri, poussière d'étoile, griotte et toute une série de noms amoureux qui s'échangaient comme des bonbons, alors que nous marchions au bord des précipices, là où le danger est permanent, aux alentours de la folie, là où tout est inquiétant. Irène, mon soleil noir, la face cachée de ce que je croyais avoir toujours été, une femme vaudou qui aimait jouer sa vie sur un coup de tête, une impulsion, à coups de pourquoi et d'*on ne sait comment.*

3

Dernier rendez-vous. J'attends Irène dans une brasserie.

Irène a toujours été en retard. Pas dans son travail, uniquement lorsqu'elle doit me retrouver.

Comme elle habitait dans la banlieue sud, je l'appelais chez elle avant nos rendez-vous et m'étonnais qu'elle ne soit pas en instance de départ, ou déjà partie. Non, avec Irène, il y avait une lessive qui tournait encore, des chemisiers à repasser, un bouton à recoudre... Les obligations ménagères l'emportaient largement sur l'exactitude à laquelle, amoureux, je croyais avoir droit. D'autres fois, toujours avant un de nos rendez-vous, j'appelais et tombais sur le répondeur. Je raccrochais avec un sourire en me disant, le cher amour est déjà parti et cette fois j'aurai la surprise de la voir arriver en avance. Irène en avance ! L'heure arrivait, personne. Un quart d'heure, une demi-heure... Quand enfin elle était là, souriante, amoureuse, mais inexacte, je la questionnais à propos du répondeur... « J'étais sous la douche ! »

Elle avait une logique autre que la mienne, une cohérence qui m'était étrangère, et j'ai passé un peu plus de deux années à tenter de raccorder des mondes qui n'avaient pas les mêmes horloges ni les mêmes boussoles.

Le temps et l'espace dans lesquels nous avons vécu notre histoire appartenaient, en fait, à deux galaxies éloignées que le hasard avait étrangement mêlées.

Une rencontre

1

1

Rien n'indiquait qu'il puisse en être autrement, un jour ordinaire.

Nous revenions, Walser et moi, de notre discussion avec les étudiants de la faculté de Bordeaux. Nous avions parlé de l'absence actuelle des passions. « Elles se sont satellisées, avais-je dit, elles tournent autour de la terre dans l'attente qu'une période moins rude se présente. Nous les retrouvons en lisant *Werther*, *le Rouge et le Noir*, mais elles ont disparu de nos existences, se sont volatilisées comme si l'appréhension d'un futur incertain condamnait à ne plus regarder que soi, sans plus d'acuité pour le mouvement des choses et des personnes... »

Nous avions failli partir en fou rire, Walser et moi, lorsque le recteur de l'université, au moment de pénétrer dans l'amphithéâtre, me demanda le plus sérieusement du monde : « Dois-je vous appeler maître ? » Après avoir vérifié que Walser avait bien entendu lui aussi, je m'empressai de répondre, en mêlant à ma voix toute l'humilité dont j'étais capable, que « monsieur » me convenait parfaitement. Faites simple...

« Je voudrais connaître ce qu'est l'amour, Walser, une histoire sans ombre, où la lumière, comme à la naissance du monde, s'enfuit vers l'infini, sans repère, sans visage, une vision de l'intérieur qui file à 300 000 km/s trouver les bords de l'univers. » C'est ce que je disais à mon ami alors que nous nous trouvions dans le taxi qui nous ramenait vers l'aéroport.

« Emphase, certes ! Romantisme, certes encore ! Mais quel délice un amour à portée de cœur, répondit-il en sortant un morceau de papier de sa poche de manteau.

– Vous avez pris des notes, lui demandai-je en me moquant ?

– Le numéro de téléphone d'une étudiante...

– Bravo, je ne vous savais pas si rapide !

– Pendant que vous signez des autographes, moi j'approfondis les échanges culturels ! Car, en fait, ajoute Walser, cet après-midi, vous avez parlé devant cinq cents étudiants et quel visage parmi eux avez-vous retenu ? Aucun. Quelle histoire potentielle avez-vous vu se dessiner ? Aucune. Moi, il me semble que ces voyages devraient être prétextes à débuts. Toutes sortes de débuts... Amitié, amour, philosophie... J'ai le sentiment, lorsque nous revenons de là, d'être des pilleurs d'admiration et d'émotion. On arrive, on flirte avec les mots, on brille un peu et hop, baguette magique, on disparaît. Salut, tchao, adieu ! Et tous ceux qui veulent un peu plus de chaleur humaine sont priés d'écrire à l'éditeur ! Pas très moral de venir d'aussi loin bouleverser quelques esprits et s'enfuir aussitôt comme des voleurs. Frustration pour eux, frustration pour nous. Ce n'est pas votre avis ? »

Non, ce n'était pas mon avis. A chacune de nos conférences, Walser ressortait la même litanie sur morale et auditoire, et je n'avais aucune envie de discuter, à cet instant, d'un leitmotiv qui me semblait dérisoire. Je n'avais rien promis à qui que ce soit, et que ce voyage ne soit un début pour personne ne pouvait m'apporter ni regret ni culpabilité.

2

Annonces, bousculades, chromes et verre fumé, tout brille et on sent la chambre de commerce qui vient de réinvestir dans son outil de travail.

Nous sommes très en avance à l'aéroport. Walser lorgne vers les horaires affichés et repère notre vol. Une heure et demie à tuer, une éternité ! Pour me réconforter, j'imagine déjà deux glaçons glissant le long d'un verre de whisky-soda, notre récompense, à Walser et moi, après une journée de foule et de palabres. Walser, plus pratique, suggère que nous nous débarrassions des formalités d'enregistrement puis montions ensuite au bar du premier étage. Considérant nos billets, le jeune type du comptoir, en uniforme et cheveux ras, nous propose un vol supplémentaire qui part immédiatement. « L'embarquement se termine, dépêchez-vous ! » Aucune hésitation, nous filons, nos cartes à la main, vers la passerelle donnant directement accès à l'avion. Nous sommes les derniers et je me retrouve juste derrière une jeune femme en robe indienne, avec une petite fille dans les bras, la tête par-dessus l'épaule de sa mère, penchée vers moi.

Une des hôtesses a un joli sourire, nous allons quitter Bordeaux une heure plus tôt que prévu et Walser va pouvoir regarder son match P.S.G.-Benfica. Chance.

Là se nouent les choses et les vies pour un détour imprévu.

Hasard des horaires, caprices mécaniques, météo

aléatoire, dans cet anneau de destin où je viens de pénétrer, et d'où je vais aussitôt ressortir, un ange attentionné aura pris le soin de me faire rencontrer mon double noir et maléfique, celui que, paraît-il, chaque homme doit connaître un jour pour apprendre à ne plus avoir peur de mourir.

L'hôtesse au joli sourire croit voir arriver une famille, la femme à l'enfant et moi. Elle fait libérer une place pour que nous soyons côte à côte. Je lui dis que ma famille c'est Walser, elle rit de la méprise et nous pouvons nous installer, mon ami et moi, l'un à côté de l'autre, sans avoir rien à quémander.

Fixation des ceintures. Annonce d'un léger retard. Des passagers grognent. Ceintures détachées. Walser réclame deux whisky-coca. Joli-sourire répond que c'est impossible pour le moment, mais que lorsque l'avion aura décollé, elle se fera un plaisir... Annonce d'un orage et de la foudre sur Roissy, notre aéroport d'arrivée... Walser me demande si on n'a pas fait irruption dans une série-catastrophe. Quelques passagers se lèvent, quittent l'avion. Voix du commandant de bord qui avoue un problème mécanique sur notre *Boeing 737*. Départ incertain. J'interroge Joli-sourire qui n'en sait pas plus. Ultime annonce... « Les hôtesses et stewards vont raccompagner tous les passagers à la salle d'embarquement. »

Walser me laisse du champ et, comme si j'étais l'unique passager, Joli-sourire reste auprès de moi pour effectuer le trajet avion/porte d'embarquement que je viens de franchir une demi-heure auparavant.

Joli-sourire porte un parfum qui évoque un souvenir enfoui, son tailleur bleu foncé lui va bien, sa silhouette me rappelle une autre image, moins lointaine que le parfum, adolescente peut-être. Joli-sourire a un prénom : Irène.

Lorsque Walser me rejoint, je la regarde repartir vers son avion. Elle ne se retourne pas. Ce détail devrait m'alerter. Mais je n'en suis pas encore à la lecture des signes d'Irène et me contente de vivre l'instant de cette rencontre.

« Retour à la case départ, dit Walser. Un détour pour rien, inutile, puisque nous allons finalement prendre l'avion sur lequel nous étions préalablement réservés.

– J'ai le sentiment d'être entré par inadvertance dans un monde, ou plutôt dans un film, dans lequel nous n'avions pas de rôle, dis-je à Walser.

– Mais l'actrice était jolie... Vous avez son téléphone ?

– Je suis moins bon que vous. C'est moi qui lui ai donné le mien.

– Mauvais signe, dit-il, franchement dépité, elle a une information de plus que vous, et c'est déjà une parcelle de pouvoir... »

3

Trois jours plus tard, Irène téléphone. Surprise. Non que je l'aie déjà oubliée, mais je ne m'attendais pas à un signe aussi rapide. J'avais imaginé une semaine ou carrément l'oubli. Elle appelle, j'en suis heureux, je le lui dis.

Notre première soirée et notre première nuit me laissent une impression mitigée. Tout d'abord, Irène est arrivée en jean, chemisier et boots. Je la reconnais à peine et fais un effort pour qu'elle ne puisse remarquer l'ombre d'une déception sur mon visage. J'avais gardé l'image de l'aéroport de Bordeaux, une jeune femme en tailleur impeccable, bas, chemisier, petits talons et je retrouve une fille ressemblant à toutes les autres et chez qui la règle semble être la condamnation de toute marque de féminité. Irène est en jean. Bon. Je n'en fais pas une maladie...

Autre malaise. J'ai l'impression d'enlacer une VRP de l'amour : elle multiplie les figures, les attentions, les inventions comme s'il fallait me montrer dès le premier soir, et dans un minimum de temps, ce dont elle est capable. Me convaincre à tout prix de quoi ? Je ne sais pas. Que je dois m'attacher à elle... Immédiatement ?

Le lendemain, je montrai mes stigmates à Walser. N'ayant pas pris le temps de nous diriger vers un lit, nous avions fait l'amour en glissant tout doucement du sofa à la moquette, et mes coudes, entamés par le frottement, s'étaient mis à saigner. Walser se moqua de ma précipitation et ajouta que normalement, la crucifixion ne venait qu'après la passion.

Irène avait quand même eu le temps de m'apprendre qu'elle partageait un appartement avec un homme qu'elle n'aimait pas. Une petite histoire, me dit-elle, qui dure depuis six mois et qui déjà l'ennuyait.

Nos débuts furent plutôt fantomatiques et espacés. Elle apparaissait, disparaissait plusieurs jours, semant derrière elle toutes sortes d'images troubles et de plages grises.

4

Un soir, peut-être notre troisième rendez-vous, elle arrive à la tombée de la nuit, lunettes de soleil et robe d'été. Je découvre rapidement qu'elle porte bas et dessous de dentelle. Je n'avais rien demandé mais je m'aperçois qu'Irène aime et sait jouer de ce genre de cadeaux.

L'amour fut exquis. Elle s'en alla deux heures plus tard sans plus d'explications.

Une fois seul, je me demandai ce qui venait de se passer, tant la fugacité de la rencontre m'avait, et comblé, et frustré par les zones floues de secret que, je le remarquais déjà, semblait privilégier Irène. J'eus le sentiment qu'elle avait fait, ce soir-là, une tournée des amants et que mon tour était tombé, par chance, à l'heure magique où la lumière du jour s'amenuise, pour que notre jeu amoureux se fasse au rhéostat naturel du déclin du soleil.

5

« C'est Landsdorff, je suis à San Francisco pour un festival du livre, je ne vous réveille pas au moins, parce que pour moi il est midi. Je vais rejoindre l'éditeur qui vient d'acheter les droits de votre dernier livre... C'est une nouvelle ça, non? La piscine est sous mes yeux, le swimming-pool, c'est là qu'il m'attend... Il est de New York et il veut une option sur votre prochain roman. Vous voyez ce que je veux dire... Celui que vous êtes censé écrire en ce moment, bon Dieu! Alors, je lui raconte quoi? Lui, il dit qu'il n'y a rien de tel qu'une passion torride, des pleurs, des rendez-vous manqués, des ruptures... »

Bizarrement, l'éloignement le faisait me vouvoyer.

« On ne peut écrire sur la passion, lui dis-je, que si on l'a vécue soi-même, et là-dessus, je suis vierge. Et je ne souhaite pas avoir à en vivre une un jour. J'ai besoin de calme et de longues plages de sommeil, pas de tohu-bohu, pas de drame, pas d'angoisse... D'ailleurs, l'époque est à l'apathie, tout le monde rêve de passion, mais préserve son énergie pour vivre et ne pas aller se perdre dans une fabrique de mort... Merci pour le contrat, Landsdorff, il ne manquait plus que l'anglais à notre palmarès...

– Vous voyez que je ne cesse de penser à vous et à notre livre... Mais dites, à votre ton, j'ai l'impression que vous avez encore la petite danseuse en tête...

– Non, j'ai rencontré quelqu'un... J'hésitai... pour finalement annoncer : c'est une hôtesse de l'air!

– Vous le faites exprès ? C'est d'une présente dont vous avez besoin, pas d'une absente ! Ces filles-là sont des courants d'air. Elles ne sont réelles que lorsqu'elles vous tombent dans les bras... Le reste du temps, elles sont partout et nulle part, dans le ciel, à l'hôtel, chez elles... C'est votre problème, après tout... Mais écrivez, bon Dieu ! N'importe quoi, avancez à l'aveugle, donnez-vous des échéances, trois pages par jour, puis cinq, ne vous embêtez pas avec le style, une fois que vous vous serez envolé, vous reviendrez en arrière pour peaufiner tout ça. Ne vous laissez ni inhiber, ni paralyser, plus vous attendrez plus ce sera difficile, même impensable de concevoir qu'un roman puisse s'imaginer. Quand vous ne savez pas quoi écrire, écrivez : *Je ne sais pas quoi écrire*, cent fois, mille fois, gardez votre stylo à la main et noircissez des feuilles de : *je ne sais pas quoi écrire, je ne sais pas quoi écrire, je ne sais pas quoi écrire...* J'avais pensé qu'un idéal à venir, une beauté lumineuse, pourrait vous aider... Ressasser pour ressasser, autant que ce soit un futur hypothétique excitant, plutôt qu'un passé qui ne reviendra pas... Vous n'êtes pas d'accord ? Enfin, c'est mon avis. Alors, je lui dis quoi à Howard, c'est son prénom, que vous en êtes à la moitié du roman ? Une moitié, ça n'engage à rien... »

6

Juste avant de rencontrer Irène, j'avais prévu de quitter Paris pour enfin commencer le roman que je me devais, et que Landsdorff réclamait. Six semaines, seul, dans une maison du Sud-Ouest, au bord de l'Atlantique. Pour ce roman, j'avais besoin d'une documentation récente, et à jour, sur Berlin. Walser irait y séjourner et viendrait me rejoindre afin de me rendre compte de son enquête et de ses impressions.

Je demandai à Irène si elle comptait venir. Elle sembla ravie lorsque j'évoquai la piscine, mais resta imprécise quant aux dates de ses arrivées possibles.

Je vivais le début de cette histoire dans l'expectative, comme si le temps jouait pour nous et dans la conviction qu'Irène était encore interchangeable, qu'elle pouvait aussi décider de ne jamais me revoir et que je n'en serais pas affecté. Finalement, ce commencement ressemblait à la plupart de ceux que j'avais connus jusque-là (sauf Justine qui, aussitôt, avait fait le siège de mon téléphone), et où chacun attend un peu de l'autre, sans avoir à se condamner d'avance par une précipitation dangereuse.

7

J'arrivai début août au Pyla, dans la maison que m'avait finalement prêtée, faute de location disponible, le père de Walser. Une maison landaise sans étage, garnie de pins et d'écureuils. L'océan au pied, en face et à l'infini. Papier, *Powerbook*, imprimante, je déménageai le coffre de la voiture pour m'installer au plus vite dans le grand salon, face à la baie vitrée. Dans les chambres tout autour, je disposai tout ce que j'étais parvenu à écrire depuis le départ de Justine, des débuts de roman, nouvelles inachevées, toutes sortes de textes divers, des phrases jetées en haut de feuilles 21 x 29, des poèmes, des brouillons de lettres jamais envoyées...

En fin d'après-midi, j'allai au village dans une supérette faire des courses pour deux jours, passai acheter des journaux et une fois tout placé dans le coffre de la voiture, je me dirigeai vers la jetée.

Les plages de chaque côté... Des corps allongés, des filles, une masse de chair à bronzer sans discernement possible... Je regarde, distrait, je pense à Irène et me dis que si elle appelle, il n'y a pas de répondeur dans la maison et je n'en saurai rien. Je vais m'asseoir quelques instants sur un banc de l'embarcadère, regarde les voiles gonflées de vent, puis repars comme si j'avais rendez-vous.

Le soir dans la maison.

Je choisis le concerto n° 2 de Rachmaninov par Jean-

Philippe Collard et regarde le soleil se coucher au-delà de l'océan. Des traînées orange et outremer se mêlent, l'air est doux, j'aimerais faire l'amour avec Irène. J'allume le phare de la piscine, je nage cinq minutes, je m'assieds devant mes feuilles de papier, j'écris des lignes, *je ne sais pas quoi écrire* (pensée pour Landsdorff), je fais une boule avec le papier et la jette dans la cheminée vide, j'allume un cigare *(Hoyo du Prince)*.

Le concerto terminé, le silence est redoutable. Le téléphone enfin, sonne. Irène ? C'est Walser depuis Berlin. « Je suis heureux de vous entendre Walser, oui, le voyage s'est bien déroulé, il fait chaud, j'ai commencé d'écrire, non, quelques lignes seulement, une page peut-être, elle n'a pas appelé, Walser, oui oui, je lui ai donné le numéro et celui du fax aussi... »

Vers minuit, je vais au bord de l'océan. Tant pis pour le téléphone, peut-être a-t-elle essayé de me joindre durant mon absence de l'après-midi. A cette heure de la nuit, elle n'est sûrement pas seule, j'aurais dû appeler, moi, tout à l'heure, à une heure normale.

En rentrant, quelque chose me submerge, une asphyxie, un désir d'entendre sa voix, je ne réfléchis pas, je compose le numéro d'Irène. C'est la première fois. Un répondeur, musique pour mise en ambiance (je déteste ça), j'attends dix secondes... *Nous ne sommes pas là...* Je raccroche.

8

« La plupart des gens de l'aéronautique vivent dans un monde d'irréalité totale, me dit Gino, le patron du *Bar de l'Oubli*. J'en connais une dizaine qui habitent la région. Ils nous serinent avec les villes où, en fait, ils ne font escale que deux heures, hier j'étais à Stockholm, avant-hier à Madrid... Ils croient impressionner ceux qui les écoutent, mais ils vivent encore dans leur rêve d'ado lorsqu'ils se disaient à quinze ans, je serai steward ou hôtesse de l'air et : *je voyagerai*. Aujourd'hui, ils croient voyager, mais ce sont des smicards du transport aérien, car ces rêves-là sont périmés, puisque tout le monde peut accéder au voyage et aux avions, aux villes, à l'exotisme. La différence, c'est que nous, nous nous offrons ces noms magiques pour le plaisir, eux c'est le travail qui les leur impose. Des villes dont ils se gargarisent, ils ne connaissent que l'aéroport, l'hôtel le plus proche, le bar et les chambres qui se ressemblent toutes. Ils me font penser aux touristes américains qui disent, “on a fait l'Europe en cinq jours, un jour pour chaque ville, Paris, Londres, Rome, Athènes, Madrid”. Ils se contentent de l'apparence des choses sans jamais exiger les choses elles-mêmes. Alors, ils sont fatigués, tristes et mal dans leur peau. Ils se défoulent entre eux en parlant avec excès de sexe, de cul, de baise. Ils vivent dans un monde de luxe auquel ils n'ont pas accès... Je crains qu'Irène ne leur ressemble et qu'elle ne soit, elle aussi : fatiguée, triste et mal dans sa peau. »

J'étais anéanti.

Gino resservit deux Lillet blanc avec un zeste de citron.

Ce soir l'océan menaçait et parfois, on voyait arriver du large de grosses poches de pluie qui ne semblaient s'écraser que lorsqu'elles touchaient les premiers rochers. Gino avait parlé sans animosité, simplement, comme quelqu'un qui a regardé et écouté les gens qui fréquentent son bar.

C'est avec Irène que j'avais fait la connaissance de Gino lorsqu'elle vint passer deux jours au Pyla, pour repartir juste avant l'arrivée de Walser. J'avais été la chercher à Bordeaux-Mérignac, l'aéroport où nous nous étions rencontrés un mois auparavant.

Là encore, j'eus le sentiment d'une apparition, tant tout me sembla rapide. On fit l'amour dès son arrivée, au bord de la piscine, à la nuit tombée. Ce fut réconfortant de retrouver tant de plaisir auprès d'une femme, après des jours et des nuits d'une Justine absente. Dans les bras d'Irène, je me raccordai au ciel et aux étoiles, avec en prime, le sentiment qu'un remède à la mélancolie venait de m'être offert, comme si, une pénitence terminée, j'avais de nouveau droit à l'exultation.

Avant de s'endormir, Irène fuma quelques cigarettes et parla d'elle pour la première fois : « C'est curieux, il y a deux périodes de mon adolescence qui sont totalement sorties de ma mémoire. A quatorze ans, j'ai dû redoubler une classe, et j'ai trouvé cela tellement injuste que j'ai commencé à sécher les cours, à fréquenter les garçons dans les cafés, à mentir à mes parents pour aller les retrouver... J'ai aussi commencé à prendre plaisir à séduire. Là, au moins, il n'y avait pas d'effort à faire et j'étais vite récompensée... Je volais du rouge à lèvres *Gemey* à ma mère, et des bas au supermarché pour mes maigres jambes. C'est après que tout s'efface, jusqu'à quinze ans... L'autre petite séquence égarée vient un peu plus tard, vers dix-sept ans, je venais d'avorter... »

Irène s'endormit avant de pouvoir continuer son récit.

Le lendemain nous avions effectué une longue balade sur la dune, le long des plages presque désertes du matin. D'un côté l'Amazone verte des Landes, au centre un désert de sable, à l'opposé l'océan. Trois figures d'infini dans un seul et même lieu.

En dehors des confidences apaisées de la nuit, je découvrais qu'Irène, durant la journée, parlait peu. Peut-être se sentant observée, elle privilégiait la plupart du temps un langage retenu et conventionnel.

La promenade nous avait donné faim et nous ne pensions qu'à deux grandes tasses de café et aux croissants que nous allions tremper dedans. Ce jour-là, nous entrâmes, pour la première fois, au *Bar de l'Oubli.*

Gino était en train de parler avec des clients de la guerre, de l'ONU, de l'ex-Yougoslavie et du général Morillon dont la photo s'affichait à la une d'un quotidien régional. Je me souvenais, comme tout le monde, de l'homme qui avait tenu tête aux Serbes à Srebrenica au printemps dernier. Gino demanda à Irène si elle ne pensait pas que ce genre d'homme était un véritable héros d'aujourd'hui. Irène se troubla, me regarda : manifestement elle ne se souvenait pas. Ni du général Morillon, ni de Srebrenica. Il y eut un léger malaise, je me tus et l'entraînai vers la terrasse, face à la mer.

« Il n'y a que des drames au journal télévisé, dit Irène, comme pour s'excuser, je ne regarde jamais...

– Et les journaux, tu lis des journaux ?

– Je jette un œil sur la presse pendant mes vols, les photos, les titres... Mais ça me révolte, cette misère, pendant que d'autres détournent tant d'argent ! »

J'en profitai pour reparler de ce qui me troublait le plus dans son comportement : « Pourquoi tu ne me téléphones pas plus souvent quand tu voyages ?

– Je n'aime pas que tu me poses des questions... »

On en était restés là.

9 / Parfum.

Ce que j'aimai aussitôt chez Irène, c'est son odeur nue. Je veux dire son odeur du matin, engoncée encore dans les draps de la nuit, sans parfum, ni lait hydratant. Une odeur de femme qui avait surgi dès notre première rencontre à l'aéroport, et que mon cerveau avait associée à quelque chose de très lointain, sans doute lorsque j'enfouissais régulièrement ma tête dans les corsages de ma mère. A moins que ce ne fût un souvenir plus récent, lorsque je m'étais laissé enfermer dans une armoire en chêne massif avec ma conscrite, une fille de onze ans, devenue religieuse en pays musulman.

L'odeur d'Irène. Un mélange d'herbe tendre après la pluie, l'image rassurante d'un paysage français au printemps avec en plus la force des torrents qui dégringolent des montagnes. Irène sentait bon. Naturellement. Je dois ajouter que mon attirance pour elle ne s'est pas arrêtée à ces vagues réminiscences olfactives, sa silhouette, le grain de sa peau, sa pâleur même me ramenaient là encore à des images anciennes et floues, des sensations perçues dans des rêves, ou des effleurements furtifs survenus dans les rues auprès des passantes.

10

Walser me rejoignit directement à son retour de Berlin. On fêta son arrivée au *Bar de l'Oubli* puis nous rentrâmes à la maison par la plage. « Ce qui demeure étrange, me dit-il, ce sont les ex-Allemands de l'Est dans les rues de l'Ouest. Que ce soit dans des quartiers comme Wannsee ou au centre de Berlin, sur le Kurfürstendamm, vivant et bruyant, on les remarque à leurs vêtements d'abord : les jeans ne sont pas les mêmes jeans, coupés autrement, une toile bleue différente, les blousons de cuir ne sont pas de la même qualité, les chaussures, les chemises, tout cela se voit, se sent. A des détails, pour des boutons, un col, une patte de cintrage, une qualité de semelles... Mais le plus inattendu, ce sont les visages, leur forme, le blanc et le granulé de la peau, l'abondance et la texture des cheveux, les mains, les ongles, le regard, tout se voit, se devine. J'ai passé des heures aux terrasses des cafés pour observer cela. Des heures à m'étonner que la nourriture, la manière de vivre, la façon d'être vivant dans le monde, à un kilomètre près, puisse à ce point différencier un même peuple, à la même culture et à la même histoire.

– Tout cela est très sartrien, l'existence nous façonne à chaque seconde, dis-je à Walser, que ce soit par les émotions que nous recevons, l'information à laquelle nous avons accès, ou pas, nos fréquentations, nos peurs du soir ou de l'avenir, la manière dont nous envisageons nos amours, l'amitié, notre idée de la liberté, ses limites et ses frontières... Mais l'Est de Berlin, racontez-moi...

– C'est d'abord une odeur. Le soufre du mauvais charbon qu'ils ont brûlé pendant quarante ans est resté agglutiné aux trottoirs, au crépi troué des maisons, aux fils électriques. Partout, surtout avec la fraîcheur du soir, il y a cette même senteur soufrée qui vous suit, qui vous ensorcelle la peau. C'est une odeur funeste, un glas inaudible, la marque vraie du malheur... Mais je vous ai mis tout cela par écrit...

– J'aime que vous m'en parliez vous-même, Walser. Regardez autour de nous, il y a le vert de l'océan, le bleu qui se mélange au sillage blanc des bateaux à moteur et nous, nous parlons de la grisaille de Berlin. Toutes sortes de mondes se côtoient avec une étrange insolence.

– Et Irène ? demanda Walser.

– Je pensais à elle lorsque vous me parliez de vos Berlinois. Chez elle, la bienveillance démocratique a façonné une apparence plus que convenable, un beau visage, une peau claire, des cheveux noirs à l'espagnole. Rien donc à signaler. Je crains, en revanche, que l'existence ne lui ait fabriqué une histoire personnelle faite de conventions, d'oubli et de révoltes, où la dissimulation demeure, pour je ne sais quelles raisons, la principale manière de vivre. »

11

Jours paisibles avec Walser. Nous nageons, marchons le long des plages, écoutons le soir de la musique en regardant le soleil disparaître. Je reste des heures face à mes pages, à mon *Powerbook*, à l'océan, puis je vais tourner autour de la piscine. Walser s'est installé dans le salon... Sonnerie du téléphone. J'espère quelques secondes, mais Walser crie, ne vous dérangez pas, c'est pour moi ! Une autre fois, il appelle, c'est pour vous ! Votre mère... Deux, puis trois jours passent, Irène est muette. A l'heure du déjeuner, je laisse Walser se rendre seul au *Bar de l'Oubli* et je reste à la maison à manger des fruits et des yaourts. Gino me fait porter des cannelés, et lorsque Walser me les tend, je sais qu'ils ont parlé d'Irène. Il m'observe. Il s'aperçoit de ma distraction lorsqu'il me raconte sa visite à Potsdam au château *Sans Souci* et sur la tombe de Frédéric II. « Pourquoi me parlez-vous de ses chiens ? demandai-je. – Je vous disais qu'il avait préféré se faire enterrer entouré de ses chiens, plutôt qu'auprès des gens de sa famille... »

Un après-midi, après une sonnerie, je vois Walser marcher vers l'océan, le téléphone émetteur près de l'oreille. Il reste un long moment assis sur un rocher, sans interrompre sa conversation et je lui en veux de monopoliser aussi longtemps la ligne. De retour, il prend plaisir à me raconter sa rencontre avec une chorégraphe portugaise en tournée à Berlin et qui vient de l'appeler dès son arrivée à Porto. Elle avait eu la bonne idée de lui demander de se rendre, à cet instant, au bord de l'eau, pour qu'ils regardent ensemble le même océan.

12

En escale à Strasbourg, Irène consent enfin à composer sur un cadran le numéro de téléphone du Pyla. « J'ai eu mon planning et mes congés... Je reviens passer une semaine avec toi... Ça te va ? »

Oui, « ça me va ». Ce sera la première fois que j'aurai à passer sept jours et sept nuits d'affilée avec elle. Sans me demander dans quelle ville elle dort, sans départ précipité, sans bagages en instance...

« Tu es arrivée quand, à Strasbourg ?

– Dans l'après-midi. »

Aussitôt, et sans doute pour justifier le décalage entre arrivée et coup de fil, elle s'empresse d'ajouter : « J'ai été brûler un cierge à la cathédrale pour ma mère. »

A plusieurs reprises déjà, elle m'avait parlé de la maladie de sa mère et je ne voulus pas l'entraîner dans une discussion à ce sujet.

« Là, on va faire une fête, m'annonce-t-elle réjouie, c'est l'anniversaire du commandant de bord, on a acheté du champagne et des langoustes et on dîne tous dans sa chambre. Je te rappellerai pour te dire sur quel vol j'arrive. Tu viendras me chercher ?

– Quelle question !

– Je pense à toi... Je vais raccrocher, je n'aime pas parler au téléphone, tu sais bien. Je t'embrasse... Oui, tendrement. »

« Il a fallu que je lui extorque le tendrement, dis-je en souriant à Walser qui a assisté à la conversation. Elle va faire la fête et moi, je vais tenir tête à l'écriture... »

Il ne disait rien et semblait consterné. Moi, je jubilais. Irène arriverait dans deux jours... Je pensai à son parfum, aux surprises, à l'odeur de son sexe, aux nuits, aux matins, à tout ce déficit amoureux que je continuais de ressentir depuis le départ de Justine, et qu'Irène allait combler.

« Donc, à présent, vous calez vos horaires de travail sur ceux de l'aéronautique, me lance perfidement Walser.

– Mais j'écris quand je veux et à tout moment. Et là, elle vient me voir pendant une semaine et... Laissez-moi vivre mon histoire, Walser !

– Vous n'écrivez rien, je le sais, parce que vous attendez à chaque instant un signe de sa part. Vous a-t-elle envoyé des fax, des cartes postales, des télégrammes ? Vous êtes au début d'une histoire avec quelqu'un qui semble vous plaire terriblement, et vous devriez exulter, rire, écrire dix pages par jour, envisager la sortie de votre roman, appeler sans arrêt Landsdorff pour lui dire, ça y est, mon deuil amoureux est terminé et j'ai retrouvé ma force, ma puissance d'écriture, je vole, j'imagine, je me retrouve. Où dissimulez-vous l'exaltation inhérente à toute nouvelle histoire amoureuse ?

– Qui vous a dit que j'étais amoureux ?

– Vous jouez sur les mots... D'accord, vous n'aimez pas cette fille et cette histoire est provisoire, etc. Mais vous vous laissez déstabiliser par ses silences. Personne, j'en suis certain, ne vous a jamais traité de la sorte auparavant. Là, vous acceptez sans broncher ses retards, les dates qu'elle impose, sa désinvolture à votre égard.

– Peut-être nous quitterons-nous au bout de ces huit jours... Et vous êtes mieux placé que quiconque pour savoir qu'il y a des mois et des mois que le goût d'écrire m'a fui, ne lui faites pas porter la responsabilité de ce qui a commencé, en fait, avec le départ de Justine.

– Son départ avait de quoi vous rendre malade, vous avez écrit, lorsque vous étiez auprès d'elle, votre roman le plus abouti. Et là, vous vous laissez maltraiter par une pétasse d'hôtesse de l'air qui ne savait même pas qui vous étiez avant de vous rencontrer.

– Retirez pétasse, Walser... Je vous en prie !

– Je retire, et veuillez m'excuser. »

13

C'était la première fois que j'avais des mots avec Walser, et j'en étais affecté. Lui aussi, probablement. Nous sommes restés face à la nuit, à la rumeur de l'océan, côte à côte sur de longues chaises en bois des îles, sans rien nous dire.

Que m'était-il arrivé ? Ces derniers mois une femme absente avait encombré mon esprit et étouffé en moi toute velléité d'action. A cet instant, une femme présente m'encombrait tout autant, sans deuil, sans regret à observer, et par sa seule façon de ne pas agir selon mes repères habituels, me perturbait à la manière d'une absente.

A qui communiquer l'indicible chose, par quels mots avouer le pouvoir d'une odeur, d'une bouche qui se transforme pendant l'amour, la lèvre supérieure légèrement déformée comme pour une plainte ou un aveu, une bouche qui devient celle de la Lucrèce peinte par Guido Cagnacci – et dont j'avais déjà parlé à Walser – la jeune fille nue qui porte un couteau sous son sein, à l'instant où elle va se donner la mort ?

14

Irène et Walser ne se croisèrent pas. A l'aéroport, je le regardai s'éloigner vers les contrôles de police. Une heure plus tard, Irène venait à ma rencontre.

Dans la voiture qui nous ramenait vers la mer, elle me demanda si je comptais écrire pendant son séjour. Je répondis que oui, qu'il fallait s'habituer à cela. Que c'était mon travail, une manière de vivre, et que si je ne parvenais pas à écrire en sa présence, notre histoire disparaîtrait. Elle sembla ravie de ma détermination, ce qui me rassura, et m'avoua qu'elle avait toujours rêvé de partager la vie d'un écrivain qui fumerait la pipe, dans une grande maison à la campagne avec plein d'animaux tout autour. Je lui demandai où elle avait pris ce cliché. « Simenon fumait la pipe, non? » me dit-elle. « Oui, mais il vivait en permanence avec trois femmes à disposition. C'était ses récompenses de fin de chapitre, tu comprends. Moi je suis du genre grande ville et cigares, quant au sexe, je n'ai pas besoin d'autres femmes, tu es exactement ce qu'il me faut... » Elle ne répondit pas et me parla du nouveau maillot de bain qu'elle venait d'acheter pour me plaire.

Enfin, je pus observer Irène. Elle n'était plus le fantôme fugace qui fait une apparition, disparaît et revient une semaine plus tard, sans explication. Elle semblait agréable à vivre, malgré quelques réactions rapides et détestables lorsque je voulais la connaître mieux. « Qu'est-ce que tu es curieux! » disait-elle, en guise de réponse à mes questions.

Surtout, nous découvrions ensemble, et dans le même temps, le pouvoir d'attraction que nous exercions l'un sur l'autre, le désir, l'envie irrationnelle de caresses sans fin, de jeux, de découvertes, comme si nous étions les premiers corps qu'il nous était donné d'étreindre, comme si aussi, ils étaient les derniers que le temps et la chance nous octroieraient. Se mêlaient à la fois l'évidence d'un jamais vu, d'un jamais ressenti et l'idée folle que tout cela pourrait ne pas durer. J'avais le sentiment d'annuler, avec elle, les femmes que j'avais enveloppées, étreintes et celles à venir que j'aurais à serrer dans mes bras. Irène devenait alors ma première femme, mon ultime sensualité, la seule jouissance.

Lorsque à n'importe quel moment du jour et de la nuit nos regards se croisaient, nos mains s'avançaient, tout devenait promesse, et le temps qui suivrait allait se trouver arraché au temps du monde... Nous inventions nos heures, nos secondes. Ce temps nouveau, différent, propre à Irène et moi, n'était rempli que de la durée d'un semblable désir qui inlassablement allait se ressourcer, inexorablement se réalimenter, pour repartir vers les mêmes corps et y redécouvrir l'inépuisable plaisir d'être nés.

Il y avait à voir avec la naissance, dans cet engouement réciproque, avec une aube des choses, un commencement, une résurgence de séquences oubliées. Je regardais, touchais, léchais les mêmes pliures, les mêmes parcelles roses, blanches, de son corps avec, à chaque instant, un identique attrait pour une nouveauté intacte que je venais pourtant d'étreindre l'instant d'avant.

Même si parfois, haletants et recouverts de sueur, nous nous accordions quelques minutes, c'était pour aussitôt nous lancer à la reconquête l'un de l'autre, comme si notre désir de poursuivre cette découverte infinie de nos territoires produisait l'amphétamine miracle capable d'annihiler nos épuisements.

Je savais, et Irène savait, qu'une telle rencontre des corps était rare. Fusionnelle, magique, elle nous surprenait autant qu'elle nous effrayait, et lorsque nous nous apercevions que le jour avait baissé, qu'il s'était déroulé pour tout l'univers, sans nous, nous défaisions nos bras et nos jambes l'un de l'autre comme des jumeaux tristes, malheureux d'avoir à continuer de vivre séparés, éloignés, elle et moi, d'un gouffre d'à peine quelques centimètres.

15

« L'autre semaine, tu t'es endormie en disant : vers dix-sept ans, je venais d'avorter... »

Irène mord ses lèvres comme lorsqu'elle est contrariée ou veut se taire : « Je n'aime pas évoquer cette période. » Elle hésite, puis se décide. « Comme beaucoup d'autres filles, j'ai avorté... Une seule fois. Ma mère savait. Lorsque mon père l'a appris, il m'a traitée de salope, traînée... Enfin, tu imagines ! Alors, j'ai fui la maison avec le premier venu. Il me battait, je le haïssais. Sans cesse, je me disais, s'il recommence, je le tue ! Ça a duré un an. Je suis parvenue à le quitter, ma mère m'a aidée, ensuite il y a un trou noir de six mois, un an peut-être... »

16 / Invente un chemin à tes pieds.

La veille de son départ, Irène m'entraîna à Notre-Dame-des-Passes, une petite église dominant le bassin, afin d'y prier et d'y brûler un cierge. Ou plutôt, deux. Un pour la guérison de sa mère, l'autre pour obtenir avant la fin de l'année sa titularisation d'hôtesse navigante.

J'étais resté vers le fond, à la lumière crue des deux battants grands ouverts sur la mer et le ciel, et je la regardais recueillie et agenouillée loin devant moi, face au chœur. Que demandait-elle ? Est-ce que Dieu était dans sa tête une sorte de grand sorcier capable, grâce à deux petites flammes, de déployer son pouvoir infini à la commande d'une jolie fille qui, pour l'occasion se transformait en croyante convaincue ? Etait-ce un rituel auquel elle accédait volontiers, se déchargeant d'une réalité médicale et hiérarchique qui lui échappait, pour se donner la bonne conscience d'avoir fait ce qu'elle pouvait et incliner ainsi un destin hors de sa portée ?

En fait, je l'observais et m'observais dans le même temps.

Je me voyais vivre le début d'une histoire étrange, à laquelle rien ne me préparait, avec une Irène susceptible, croyante de circonstance, et prête sans doute à suivre un gourou de hasard venu lui promettre de donner un sens à son existence. Car durant notre séjour, cette question était apparue à plusieurs reprises. Déprimée, hors d'atteinte, Irène s'avouait être triste pour elle-même, de ne se trouver ni passion, ni projet. « J'ai vingt-sept ans, disait-elle, je suis dynamique (elle aimait utiliser ce mot qui semblait, à ses yeux, le mieux la qualifier), je voudrais me stabiliser et m'inventer une famille. » Elle n'ajoutait pas : avec toi.

Il faut dire que rien dans mes paroles, depuis notre rencontre, ne pouvait la laisser projeter un tel scénario. Je m'interrogeai sur son fameux dynamisme pour me demander si, jusqu'à présent, elle n'avait pas plus utilisé son énergie à paraître qu'à se fabriquer un avenir excitant. « *Invente un chemin à tes pieds* », lui dis-je. Devant sa moue d'incompréhension, j'ajoutai : « Si on éparpille sa vie autour de choses futiles, comment trouver l'essentiel et pouvoir avancer ? »

Elle ouvrit un Corto Maltese qu'elle avait commencé de lire à son arrivée.

17

Avant le parfum d'Irène, il y avait eu sa peau. Ce signe extérieur, parfois trompeur, de la richesse d'une âme. J'ai *regardé*, et sans attendre d'*ouïr* ce qu'avait à raconter son corps, mes yeux captivés ont *lu* aussitôt une histoire sur ce magnifique tatouage d'univers qu'était Irène, une histoire que j'imaginai belle et tranquille, remplie d'un passé émouvant et d'un futur attrayant. J'ai vu, j'ai senti, je fus emprisonné.

Lorsqu'elle fut partie, je restai de vastes moments seul, face à mes piles de pages, mon ordinateur et un nouveau stylo qui ne me convenait pas. Irène avait cassé celui auquel je tenais le plus.

J'eus de longues conversations avec Gino. Sur sa vie future envisagée autrement qu'en patron du *Bar de l'Oubli*. Irène revenait souvent dans nos conversations et il fut le premier à être catégorique : « Je ne sais pas quel mystère il y a entre vous, mais tu devrais quitter cette fille. Elle a une manière de se comporter avec les hommes qui la rend, à leurs yeux, disponible. Cette attitude est déjà une trahison. Peut-être ne s'en rend-elle pas compte et cela reste-t-il inconscient, mais j'en conclus qu'elle a terriblement peu confiance en elle et que, là où les autres femmes se contentent d'être rassurées par le seul regard que les hommes portent sur elles, Irène aura besoin d'aller vérifier concrètement son pouvoir de séduction sur eux. Tu en seras malheureux, car cela s'appelle être trompé.

– Elle t'a... ?

– Non, mais les quelques fois où vous êtes venus au bar, j'ai observé les hommes qui la regardaient, et surtout la manière précise et discrète qu'elle avait de leur répondre... »

Irène ne fut pas l'unique sujet de nos conversations et nous partîmes plusieurs fois dans un petit bimoteur d'aéroclub faire du rase-mottes au-dessus des vagues de l'Atlantique.

Quand je quittai la région avec peu de pages et beaucoup de questions, je me vis embarqué sur un radeau de détresse, face à une ville, Paris, qui m'avait jusqu'alors fasciné et qui, d'un seul coup, m'effraya. J'avais en tête des résolutions toutes fraîches et définitives, comme celle de retrouver calme et sérénité, et de faire à nouveau le chemin de l'écriture qui consiste à revenir à l'intérieur de soi, tel un voyageur rassasié de volcans et de fleurs vénéneuses, certain que, de cette mystérieuse attraction, quelques obscurs tiraillements parviendraient à naître.

18

Il y avait déjà tant de morts autour de nous. Pas chassés par la vieillesse et l'usure, mais par la jeunesse et l'amour. Des morts de jeunes personnes qui s'étaient laissé attraper par la machine-monde, avec le désordre et les virus. Ils s'étaient trouvés en plein rêve ou descente aux enfers puis tout s'était accéléré, le rêve et les souffrances.

Nous passâmes quelques matinées, Walser et moi, dans les églises d'arrondissement, du côté des grands cimetières de renom. La mort nous avait réhabitués aux levers de bonne heure avec bichonnage des cheveux, des dents et des habits. Jusque-là, je ne m'étais préparé avec autant de soin que pour séduire des femmes, des employeurs... Plaire à des vivants ! Là, nous étions en vêtements soignés pour parader aux enterrements, enfouis dans nos pensées et nos regrets.

Pourtant, j'aurais voulu n'avoir à parler que de l'infini et de la beauté. Vous dire des mots choisis, à voix douce et lente pour que vous sachiez que les choses que l'on voit portent les noms que nous aimons leur donner. Parler encore de l'âpreté à se rendre à pied à travers les ronces et les buissons, les montagnes et les vallées sans se contenter de passer en instantané à travers les *lignes* téléphoniques, les *lignes* de chemins de fer, les *lignes* aériennes d'un continent à un autre, sans pratiquement user le monde, sans avoir à souffrir de ses jambes, de ses pieds et de tout son corps sur les chemins rocailleux et escarpés des contrées étranges non rassurantes.

Mais j'avais oublié cela.

De ma centrale imaginaire, je parcourais le monde sans marche donnée, sans sueur, sans fatigue. Je prenais des billets, appuyais sur des touches à commandes vocales, envoyais instantanément mes écrits par fax... Je l'aimais cette vitesse, ce temps raccourci qui conduit un homme, sa voix et ses mots vers n'importe quel lieu de la planète. Mais je n'en étais pas heureux, comme si l'immobilité me faisait découvrir un nouveau mal et l'obligation de vivre avec.

19

Quitter Irène...

La question sans cesse tente de s'imposer, suivie immédiatement d'une réponse venue d'une part de moi, la plus mystérieuse, la plus viscérale, décrétant l'impossibilité d'une telle séparation. Comment abandonner un territoire inconnu qui n'a pas encore révélé ses secrets ? Mais pourquoi aussi rester en territoire hostile où chaque avancée apportera son lot d'éraflures avec la sombre conviction, pour le voyageur, qu'un gouffre caché finira bien par l'engloutir ?

Je pressens que les dangers peuvent surgir de toute part, qu'elle peut s'en aller à la seconde, devenir amoureuse pour un sourire qui passe, ou pour une nuit de trop grande solitude. Je la devine à l'écoute et soumise à ses désirs qui peuvent changer à chaque instant, je ne vois pas le temps l'envahir, exiger d'elle de la patience, de la réflexion, je ne sens aucune autorité intérieure déchiffrer pour elle ce qu'il faut faire ou ne pas faire, et par conséquent introduire un minimum de décalage entre ses pulsions et ses actions.

Mais où s'apprennent toutes ces choses ?

Comment les retient-on ?

Et pourquoi cette femme à laquelle je tiens ne les connaît-elle pas ?

J'aimerais revisiter sa vie avec elle, en spectateur attentif, pour observer, séquence après séquence, où se sont produits les détournements, reprendre émotion par émotion ce qu'elle aurait dû garder contre son cœur, ne pas l'oublier, le protéger, lui donner un écrin pour, à tout moment, savoir qu'elle possède un trésor et pouvoir ainsi distinguer *les amours qui passent et l'amour qui reste.*

Quitter Irène ?

Il est encore temps, il n'y a pas eu de promesses entre nous, nous n'avons aucun projet au-delà des plannings de l'aéronautique, c'est-à-dire quinze jours.

Quitter Irène, ou lui accorder du temps pour apprendre à se souvenir d'elle ?

Lui apprendre encore à puiser dans son expérience ce qui fait mal et ce qui fait bien ? Lui demander pourquoi elle sait si bien aimer avec son corps et si mal avec sa vie ?

20

Les mois qui suivirent eurent l'élégance d'être ensoleillés. L'hiver était là et je parvins à écrire une nouvelle sur la jalousie pour un magazine féminin plus un synopsis pour une compagnie américaine de production cinéma.

Un soir, dans un café du quartier des Champs-Elysées où l'on s'était donné rendez-vous, Irène fit une entrée remarquée : tailleur court, talons mi-hauts, son manteau à la main.

Superbe et touchante, elle vint me rejoindre et se lança dans une longue tirade sur Mankiewicz : *Soudain l'été dernier, la Comtesse aux pieds nus*, Bogart, Ava Gardner. « Je ne t'avais pas dit que j'avais vu tous les films de Mankiewicz ? » Non, elle ne m'avait pas dit. Ravie de mon étonnement, elle se penche vers moi, chuchote avant de s'asseoir : « C'est pour toi que je me suis habillée comme ça ! Et mes bas, ce ne sont pas des collants... »

Observant les regards insistants de la clientèle masculine, et comme s'il ne fallait pas succomber à une attraction fatale, je me ressaisis et lui dis : « C'est Mankiewicz qui me surprend. »

Après les Champs-Elysées, nous étions passés au *Hot Brass*, à la Porte de la Villette, écouter le Charlie Parker Memorial Band.

Irène avait apprécié, sans plus, elle raffolait de flamenco.

21

Le cierge brûlé à Notre-Dame-des-Passes fit son chemin dans le ciel et Irène obtint sa titularisation au tout début décembre. Comme si ce surcroît d'assurance lui permettait d'envisager plus sereinement son avenir proche, elle quitta aussitôt l'appartement qu'elle avait continué de partager avec son ex-ami, garda encore un temps la voiture que celui-ci lui prêtait pour se rendre aux aéroports, à l'occasion venir me voir, et se trouva un studio dans le même secteur de la banlieue sud. Il était clair, pour elle comme pour moi, que le temps n'était pas encore venu de partager les mêmes murs. Il lui fallut donc se meubler et acheter le minimum nécessaire à une survie confortable. L'autonomie avait un coût et nous dûmes, pour la première fois, parler argent.

Tout d'abord, elle ne me demanda rien. Je me contentai de donner une garantie bancaire au propriétaire du nouveau lieu. Je la vis dépenser et prendre des crédits pour une armoire anglaise en bois clair de chez *Swenson*, un divan *ligne Roset*, des fauteuils et un lit chez *Habitat*, une couette en plumes de canard au *BHV*, un réfrigérateur et un four micro-ondes chez *Darty*...

Un après-midi, elle appelle de la place d'Italie pour me prévenir de son arrivée. C'était inattendu et comme je n'avais pas pensé à fêter sa titularisation, je file acheter une bouteille de *Dom Pérignon* (pour le symbole) et des apéricubes *La vache qui rit* (pour le plaisir), puisqu'elle en raffolait.

Je la sens heureuse et embarrassée. Elle fait un vœu pour sa première coupe de *Dom Pérignon* et trempe son doigt dans le verre pour se frotter l'arrière des lobes de l'oreille. Finalement, avec mille précautions : « C'est la première fois et la dernière... d'ailleurs je te fais à l'instant deux chèques de cinq mille francs... j'y tenais depuis longtemps, mes frères en avaient une à eux et j'étais toujours obligée de leur demander la permission pour écouter mes disques... Bref, peux-tu m'avancer dix mille francs pour la chaîne hi-fi que je viens d'acheter chez *Continent* ? »

« Chère la chaîne, lui fis-je remarquer. Fait-elle aussi magnétoscope, téléviseur et ordinateur avec raccordement sur Internet ? »

Irène ne riait pas. D'ailleurs, elle riait si peu qu'elle me laissa là, prit sa veste et s'en alla.

Consternation chez *Dom Pérignon*, habitué à plus de civilités... J'imagine qu'elle va revenir, me dire excuse-moi, je suis énervée, le déménagement, je suis fatiguée... Par la fenêtre, je la vois traverser la rue, sans un regard pour moi, le pas décidé. Je crie son nom. Rien.

Devant sa détermination, une panique me prend, et si elle ne revenait pas, et si elle était capable d'oublier... Je dévale les escaliers, cours, l'appelle encore, la rattrape et je me vois lui faire mes excuses, je m'entends lui demander de bien vouloir remonter pour que je lui signe son chèque... « Où est le problème Irène, je plaisantais ! »

22 / Irène, guide pratique.

Quantique

Irène illustre parfaitement la théorie quantique que les physiciens ont tant de mal à vulgariser pour les profanes. Rencontrer Irène, c'était avoir accès à Niels Bohr, Louis de Broglie, Heisenberg et Einstein. Pareil à l'électron observé qui ne peut être localisé, mais demeure dans une zone de probabilité, Irène est parfaitement inlocalisable. *Ondulatoire* et *corpusculaire*, elle n'est jamais là où on l'attend. Je la crois abattue, désespérée, des idées sombres plein la tête, elle passe la nuit à danser et à fumer des joints avec des copains d'escale. Elle me quitte enjouée, un magnifique sourire accroché au visage, deux heures plus tard, elle rappelle, désespérée d'elle-même, avouant une totale incapacité à poursuivre sa vie et imaginant aussitôt quitter la ville pour une vie moins stressante en province.

Téléphone

« Allô maman, c'est Irène, tu vas bien, qu'est-ce que tu fais, tu t'occupes, c'est bien, papa va bien lui aussi, moi je suis rentrée il y a trois jours de Toulouse, non je n'ai pas pu t'appeler plus tôt, les lessives, la vie et ma voiture que j'ai dû conduire chez le garagiste, non rien de grave, l'allumage ou je n'sais quoi, voilà, mais bien sûr je t'appellerai plus souvent, mais le temps passe si vite, ne t'inquiète pas, je t'embrasse, embrasse aussi papa, très fort, promis, je te rappelle » *(durée : deux minutes et dix secondes).*

Approximations

Sa méthode est l'approximation, soutenue par de vagues souvenirs scolaires, par l'écoute des rumeurs et de l'avis général. Elle ne dit pas d'elle-même : tu te souviens de tel spectacle, tel livre, tel paysage. L'évocation du passé ne peut provenir que de l'extérieur, une question d'autrui ou un détail visuel. Alors, elle répond : Je crois me souvenir que... L'auteur doit être... Il me semble que... Je n'en suis pas certaine... Sans doute... Le passé est définitivement flou.

Mensonge

Irène aime s'imposer des règles en ma présence, qu'elle s'empresse d'oublier lorsque je suis absent. Malgré de multiples injonctions et agacements de ma part, elle continue à me demander, lorsqu'elle est chez moi, si elle peut appeler ses parents, son amie Corinne, son travail... Je répète à chaque fois, ici, tu es chez toi, tu téléphones à qui tu veux et quand tu veux, sans avoir à me le demander.

Un an avant notre rencontre, et pour mettre devant le fait accompli une employée de maison indélicate qui téléphonait en mon absence au Portugal, au Brésil, j'avais demandé aux Télécom une facture détaillée de mes communications. Puis j'oubliai de résilier ces renseignements devenus inutiles puisque la dame en question était repartie dans son pays. Un jour, par hasard, j'examine la facture qui venait d'arriver et m'aperçois qu'Irène, à chacune de mes absences, appelle famille, amis, etc. Les sommes sont évidemment dérisoires. Je lance une sonde dès le lendemain, à un de ses retours de vol... « Mais Irène, tu peux aussi téléphoner à tes parents et à qui tu veux lorsque je suis absent... – Je ne me permettrais pas », affirma-t-elle avec foi et conviction.

Quelle structure mentale tourmentée la faisait mentir sur autant d'insignifiance ?

Les portes ouvertes (enfoncer)

Qu'une femme puisse entretenir une relation amoureuse avec un homme pour son argent, le confort qu'il peut apporter, ou fondée sur un quelconque intérêt est indéfendable, et par conséquent n'est l'objet d'aucun débat. Mais Irène aimait dénoncer des idées que personne ne défendait et proclamait que de telles conduites la révulsaient, que elle, elle n'était pas comme ça, différente, idéaliste... Elle en rajoutait au passage sur l'attitude inconvenante des femmes qui, après séparation, opposent les pires difficultés aux pères pour avoir accès aux enfants. Irène jurait que jamais elle ne pourrait faire une chose pareille, que les enfants devaient avoir un père et une mère, qu'ils ne devaient pas subir les tourmentes amoureuses de leurs parents, etc. « Tout ça, c'est moche ! » aimait-elle conclure.

Attitude

Irène possède une faculté rare qui consiste à recréer sans cesse un monde à sa convenance. Une parole est donnée, qu'à cela ne tienne, dans le monde suivant cette parole n'aura pas été prononcée. Aux orties donc, les promesses et les serments, et tout ce qui pourrait tenir lieu d'une permanence, *la règle est de surfer sur tout : les êtres, les choses et les idées.*

23

« Vos tests HIV, pour vous et votre amie, sont négatifs », m'annonça le docteur Ferguson. Je lui avouai que j'avais surtout peur, depuis quelques semaines, d'avoir attrapé le sexe comme maladie transmissible. « Cette fille est un virus, insistai-je auprès du docteur Ferguson, elle est en train d'atteindre mes défenses immunitaires qui, comme vous le savez sont importantes chez les écrivains... La drogue, l'alcool, le Grand Nord, la Collaboration, rien ne les effraie, ils se sortent de tout ! Mais le sexe, docteur, en plein siècle sida, suis-je anachronique ? »

Comme souvent, le docteur Ferguson ne répondit pas à ma question, me posa une perfusion et me demanda, en échange, de me réhabituer à écrire des romans plutôt que d'essayer de les vivre.

*

Peu rassuré, et après avoir fait ma visite rituelle sur la tombe d'Arnold O'Connor au cimetière de la place Clichy, je dis à madame Bettencourt que j'avais du mal à commencer mon roman et que les médecins n'étaient guère optimistes à ce sujet. Elle m'interrogea sur mon nouveau stylo, mes doses d'anxiolytiques et mon *Powerbook*. « Rien n'y fait ! » lui dis-je. J'insistai et lui redis que comme d'habitude j'avais du mal à commencer ma vie. « Votre roman ! rectifia-t-elle. Apprenez à respirer longuement, tout le monde oublie de respirer, pourtant, c'est le b a ba du métier. Abasourdis et distraits par toutes sortes d'amours qui tournent mal, continua-t-elle, les gens oublient leur cage thoracique et les poumons, qui sont pourtant deux fois plus nombreux que le cœur... Alors, ils s'arrêtent aux affres du quotidien, sans se délecter de l'oxygène gratuit et obligatoire. Respirez à fond, comme si c'était à chaque fois un morceau d'univers que vous vouliez vous enfoncer dans le corps. C'est comme ça que naissent les romans, des dégâts que font les montagnes en déchirant les alvéoles. »

*

Lorsque je rentrai, Irène était sur le lit, assise en tailleur, en train de se peindre les ongles. J'aime l'odeur du dissolvant. J'aimais qu'Irène apporte ses parfums de femme.

– Tu voudrais être réincarné en quoi ? me demande-t-elle.

– Je ne crois pas à la réincarnation.

– Moi si. J'aimerais être un cabri. C'est gracieux et léger.

– Tu dois croire aussi aux vies antérieures ? demandai-je.

– Evidemment ! Pour être aussi certaine que c'était toi que j'attendais lorsque je t'ai rencontré, c'est que nous avions forcément fait connaissance avant. Non ?

– Et la vie après la mort ? lançai-je d'un air moqueur, qu'elle ne perçut pas.

– J'en discutais l'autre jour en vol avec une hôtesse

qui lisait un livre sur le sujet. Il doit y avoir du vrai, car ceux qui l'ont vécu ont l'air si convaincants...

– Tu es décidément sur tous les fronts ! lui dis-je. Et Mankiewicz ?

– J'ai eu tant de mal à retenir son nom, qu'une fois mémorisé, j'ai été voir tous ses films. C'est là que je me suis aperçue que ma mère ressemblait à Ava Gardner dans *la Comtesse aux pieds nus*.

24

La saison des prix littéraires achevée, Landsdorff réapparaissait dans le monde des humains et, pour s'y dissimuler mieux, retirait de la boutonnière de ses vestons son ruban rouge de la Légion d'honneur. « Je te parle de ta carrière à présent, pas de l'argent que je t'ai déjà avancé pour un roman que tu n'écris pas, dit-il dans le restaurant de Montparnasse où il m'avait entraîné... Et je sais aussi me taire devant un auteur qui a une vie sentimentale tourmentée... Je t'ai déjà proposé de te faire rencontrer *un supplétif appointé*. Vous convenez de rendez-vous deux ou trois fois par semaine, endroit anonyme, un café, tu racontes ton histoire, ça te délivre, et lui romance à tout va, parce que ces types-là, l'angoisse de la page blanche, ils ne connaissent pas. Ce sont des boulimiques... En revanche, pour les arrière-plans, l'épaisseur, ce qui fait qu'un roman est bien autre chose qu'une histoire, là, il faut repasser derrière. Ils écrivent les partitions, mais ils ne savent pas jouer. »

Landsdorff demanda l'addition. « J'ai rendez-vous avec Kenzaburô Oé dans mon bureau, viens, j'ai envie que vous vous rencontriez. Ça te va ? » Ça ne m'allait pas. J'avais rendez-vous avec Irène dans une demi-heure et Landsdorff n'aurait pas compris que j'hésite entre un Nobel et ma belle. Je prétextai une obligation professionnelle... « Il faut que ce soit très important, il ne vient en France qu'une fois tous les dix ans », dit Landsdorff, déçu.

Je filai chez moi. J'avais la hantise de ne pas être là

lorsque Irène arriverait. Irène à l'heure à un de nos rendez-vous ! Chaque fois, je me faisais à l'idée d'un miracle possible... Qui ne se produisit pas, puisqu'elle avait cinquante bonnes minutes de retard. « Les embouteillages sur l'autoroute... Je suis épuisée. »

Comment lui décrypter les choses, sans la blesser ?

Ce soir-là, je sus que ma vie allait devenir une fuite en avant, avec cette femme à mes côtés, que je serais le fou, le fugitif, celui que l'on regarde et de qui l'on se gausse, pour s'être mis à l'intérieur d'une prison dont personne n'aperçoit le moindre barreau.

Cet *autre chose*

2

1

Anton Vladimir avait ses cycles. Il réapparaissait dans Paris et dans ma vie tous les ans, à quelques mois près. C'était un migrant professionnel. Par un relais d'amitiés éparpillées sur la planète, il circulait entre Tokyo et la Napa Valley comme d'autres gens de son âge se seraient rendus pour une promenade dominicale aux Buttes-Chaumont ou au parc Montsouris. Ses amitiés étaient illustres, des cinéastes, des écrivains de toutes les nationalités, en revanche son visage était inconnu. Par une détermination qui n'avait jamais faibli au cours des ans, il ne laissa circuler aucun portrait, aucune image de lui, persuadé que ses contemporains n'avaient pas à le reconnaître dans la rue, et que la mort ne pourrait, elle non plus, jamais l'identifier.

En général, une chouette ambassadrice prévenait de son retour par fax, au premier jour de l'an chinois. Cette fois, la chouette disait : « Une probabilité insistante voudrait que mon vieux corps soit à nouveau en train de respirer Paris. » Un dessin de sa main, une bulle de BD... Quiconque lisant à ma place le papier se serait demandé de quelle agence secrète ce message codé pouvait provenir. Je l'appelai aussitôt et, sans avoir à en préciser l'adresse, nous nous retrouvâmes à notre lieu habituel de rendez-vous, le long du canal de la Villette.

Sans entrée en matière, nous parlions, comme s'il n'y avait jamais eu aucune séparation, de l'état actuel de nos têtes.

J'aimais sentir à nouveau Vladimir près de moi, il

avait un regard extérieur, de l'intuition et la différence d'âge me le faisait écouter comme s'il s'agissait d'un ange vagabond préoccupé par sa dizaine de protégés, dont je faisais partie. Il me trouva une petite mine et s'inquiéta de ce qui pouvait me tourmenter. Je lui résumai Irène, mon roman qui ne s'écrivait pas et la fatalité à laquelle je finissais par me résoudre de laisser filer le temps et de ne pas lutter inutilement contre un courant contrariant. « Mais, c'est ce qui peut arriver de mieux, me dit enthousiaste Vladimir, être fou d'un corps, se laisser submerger par des tempêtes de désir, manœuvrer par les phantasmes. En somme, vous vous plaignez d'être vivant ! »

Je lui parlai d'Irène, de son odeur, ses parfums, de son sourire, mais aussi de son étrange comportement amoureux, de ses silences téléphoniques, de son rapport étonnant à l'argent, de ses absences...

« Il faut que vous sachiez une chose : on idéalise toujours l'amour en l'associant exclusivement au plaisir. D'ailleurs, que retenez-vous lorsque vous lisez *la Chartreuse*, *le Rouge et le Noir*, ou encore *Werther*, sinon la passion amoureuse que vous auriez vous-même envie de vivre, et vous effacez la triste fin des pauvres Sorel, Fabrice del Dongo et Werther. On oublie, à l'instant où on referme le livre, le malheur pour n'en garder que la volupté. Comme si la partie *plaisir amoureux* décrite dans ces romans était du domaine du possible dans notre propre vie, en tout cas, du souhaitable, et que la partie noire, celle des fins tragiques ne soit que du romanesque exacerbé et donc non transposable dans nos existences. »

Vladimir désormais marchait lentement. Il s'était arrêté. Un bateau qui passait à cet instant provoqua une vague qui vint s'étaler sur le quai, à l'endroit où nous nous trouvions, et parvint à mouiller nos chaussures. Vladimir plaisanta sur les vagues amoureuses qui submergeaient tout autant que les vagues d'un tranquille canal parisien. « Mais, mon cher ami, la passion amoureuse, c'est, et le plaisir, et la souffrance. Chaque objet porte son accident. Lorsque l'on a construit la première automobile, on n'a jamais imaginé qu'elle provoquerait dix mille morts par an dans un seul pays comme le nôtre. L'amour, je vous le répète c'est du plaisir et de la souffrance. Evidemment, si l'un envahit l'autre, on s'écarte de la vie et de l'amour. Avec Justine, tout était tranquille, elle vous aimait, vous un peu, et en fait vous n'avez été vraiment affecté que le jour de son départ. Un deuil normal. Dans le cas d'Irène, il y a une seule chose à laquelle vous devez veiller, une seule, c'est que le malheur ne l'emporte jamais sur le plaisir, auquel cas ce ne serait plus une histoire amoureuse, mais un chemin de croix. Mais vous n'en êtes pas là! Allez, souriez, votre souffrance d'aujourd'hui est d'une extraordinaire banalité!

– Ce n'est pas banal, Vladimir, puisque je ne comprends pas. Pour moi, l'amour doit être quelque chose de total, sans partage, alors que j'en suis à diviser sans cesse Irène dans mon esprit : il y a une part d'elle à laquelle je me sens violemment attaché et une autre qui me terrifie, et dont je pense à chaque instant m'enfuir... Ce n'est pas cela être amoureux!

– Méfiez-vous, dit Vladimir, l'amour est souvent une

très petite chose que vous n'apercevez pas, parce que vous cherchez l'invention grandiose construite pendant votre enfance, et qui n'existe pas... Mais la très petite chose, un jour envahit tout... »

Il sortit de son manteau un paquet grand comme une boîte d'allumettes. « C'est pour vous ! » Je déchirai le papier et trouvai un minuscule coffret de bois fermé d'un crochet. Je l'ouvris. Posées sur un reposoir de papier de soie, il y avait trois minuscules statuettes, trois femmes nues, de couleurs différentes. Etonnement.

« Je les ai rapportées du Mexique, sans supposer ce que vous étiez en train de vivre. Vous savez que ce pays a l'art de trouver les portes secrètes qui permettent d'entrer à l'intérieur des pensées. Il y a là trois femmes, pourquoi trois ? Parce qu'une histoire ne vaut jamais pour elle-même et qu'en amour, le piège c'est de n'être obnubilé que par une seule. Observez la première, elle a les yeux ouverts, les doigts serrés. C'est la femme qui donne. La deuxième a les doigts écartés, c'est celle qui prend. Maintenant, regardez attentivement la troisième. Elle a les yeux fermés, les mains croisées sur le ventre. Que pensez-vous d'elle ? »

Je ne savais quoi répondre. Elle semblait sans vie...

« Elle est morte ? me risquai-je.

– Non, elle attend, me dit Vladimir. Il y a toujours deux femmes à connaître avant de rencontrer celle qui vous attend. »

2

Tous les quinze jours, Walser photocopiait les nouveaux plannings d'Irène pour ne pas se trouver chez moi lorsqu'elle ne couchait ni à Nantes, ni à Lyon, ni à Strasbourg, ni à Bordeaux, ni à Dublin, ni à Lisbonne, ni à Madrid, ni à Montpellier, ni à Lille, mais à Paris, au centre d'une île, là où cohabitaient mon lit king size, mon *Powerbook* et mon piano noir laqué... D'ailleurs, les deux ou trois soirs par semaine où Irène venait me rejoindre lui étaient exclusivement réservés et j'avais fait en sorte que ma vie sociale se calque sur « les horaires et plannings de l'aéronautique », comme aimait à me le reprocher Walser. Moi, qui avais toujours détesté ce qui pouvait ressembler, de près ou de loin, à une organisation stricte de ma vie, avec programmation des vacances, réservations à l'avance des hôtels, qui avais toujours aimé improviser sur le dernier désir et sur l'impulsion, j'étais désormais servi.

Nous prîmes l'habitude de ne boire que de bons vins, des bordeaux de préférence, graves, saint-émilion, pomerol, et elle apprit très vite à se souvenir des crus et des années. Elle collectionna les bouchons quelques semaines, et oublia qu'elle avait commencé une collection.

Début décembre, j'allai lui rendre visite dans son nouvel appartement puis, une semaine avant Noël, quelques bielles récalcitrantes immobilisèrent définitivement sa voiture. D'évidence, elle n'avait pas l'argent pour s'en acheter une nouvelle, et sans qu'elle ait à me le demander, je conclus que, puisque j'envoyais avec une belle régularité des dons à *Médecins du monde*, à *Médecins sans frontières*, à la *Fondation Abbé Pierre*, à *la Fondation de France*, aux *Restos du cœur*, à *Amnesty International*, à *A.T.D. quart monde*, à la *Ligue des droits de l'homme*, à l'*Unicef*, au *Secours catholique*... je pouvais aussi aider la femme avec qui je partageais une partie de ma vie.

Je négociai en une heure, avec un garçon de brasserie, une voiture d'occasion qu'il venait d'offrir à sa fiancée qui l'avait ensuite quitté, une *Seat Ibiza* blanche qu'Irène inaugura le lendemain même, à quatre heures du matin sur l'autoroute A1 qui la menait à Roissy pour le vol IT 234 reliant Paris à Barcelone.

Noël avec Walser, ma mère et une Vietnamienne, réfugiée et catholique, que nous avait offerte, pour la circonstance, l'association *Aide à toute détresse*. Je partis pour Val-d'Isère avec Irène qui avait six jours de vacances entre les fêtes.

Lorsqu'elle dut rejoindre les lignes intérieures de l'aviation civile, je passai le réveillon du nouvel an avec de vagues amis dans la salle commune de l'hôtel. Un peu avant minuit, le téléphone se mit à sonner régulièrement à la réception. Le veilleur de nuit appela des Anglais, un couple d'Italiens... Puis ce fut mon tour, ma mère qui me souhaitait une bonne année, « avec du succès pour tout mon chéri, et surtout en amour... »

Cinq minutes plus tard, nouvel appel, c'était Walser.

D'autres clients furent appelés jusqu'à une heure du matin. Ensuite les sonneries se firent de plus en plus rares et bientôt se turent. Je pensai que l'avion d'Irène avait peut-être été détourné vers un pays en guerre et qu'à partir de là, on ne peut en vouloir à personne d'être pris en otage un jour de fête, sans cabine téléphonique à portée de main.

3

« Faire souffrir procure du plaisir, vous savez cela Walser, on a beau s'escrimer à le nier, nous aimons faire mal, cela rassure et confère un pouvoir. Plus les gens vous aiment, plus vous faire souffrir est gratifiant car, sinon, où serait le délice? Il y a une délectation niée, impossible à s'avouer, qui est de faire souffrir ceux auxquels on tient le plus, comme s'il fallait sans cesse vérifier jusqu'où ils se maintiendront en vie et jusqu'où, aussi, le bourreau peut se hisser sans avoir à verser une seule larme. Regardez comment Irène se conduit avec sa mère. J'ai entendu cette femme la supplier au téléphone d'être rappelée régulièrement, j'ai entendu sa voix perdue, massacrée, sollicitant de sa fille un effort d'attention. Irène a perçu ces cris de détresse, mais ne broncha pas, ne changea en rien son désir permanent de vouloir mesurer sa propre capacité d'indifférence. Elle ne s'est bien sûr jamais dit : maman, je vais te faire souffrir, elle s'est dit : maman, je veux savoir ce que veut dire ton amour pour moi, moi qui me sens incapable de remplir ce mot avec ce que m'a permis d'apprendre ma propre expérience.

– Mais, dit Walser, qui vous oblige à subir cette cruauté, vous qui n'êtes ni sa mère, ni le responsable de son avenir? Pourquoi ne vous êtes-vous pas contenté d'être un amant de passage, ravi d'avoir rencontré une maîtresse d'exception? »

Que répondre? A part s'interroger sur l'étrange stratagème qui a pu rendre possible un tel lien tout entier tressé de plaisir et de meurtrissures ? Que répondre qui ne soit de l'ordre de la banalité et qui consisterait à dire : je ne sais pas. Qu'il y a là une femme qui pourrait être toutes les femmes ou n'importe quelle femme et qui pourtant, à cet instant, à mes yeux, est unique.

Un dieu aurait-il exaucé mon vœu artiste réclamant, non pas au nom de l'équité, mais du droit à l'expérience en temps réel, mon quota de malheur ? Irène était-elle ma faim endémique, mon nettoyage ethnique, ma guerre de religion, mon Ouganda, mon malheur personnel domicilié enfin dans un arrondissement de Paris, et non plus vécu à travers l'image de télévision, ce malheur de l'ailleurs, forcément d'ailleurs, qui me laissait vaincu devant mon écran... En avais-je besoin, l'ai-je couvée cette catastrophe à laquelle l'apathie démocratique ne pouvait me donner accès ?

« Je ne sais pas Walser, répondis-je, je ne sais pas... Il y a là *quelque chose* qui est d'un domaine qui me dépasse, lié aux résonances de l'univers, au sacré, à ma naissance, qui n'est pas de mon entendement, et que je rejette, et qui me fascine, qui me rend vulnérable, parce que je prends sans doute plaisir, moi aussi, à contempler jusqu'où peut me conduire une inclination pour le désastre que je ne me connaissais pas. »

4

Tu dors ma belle amante... Je tire doucement le drap et je regarde ton corps. Tu respires profondément, tu sais que rien ne peut t'arriver. Nue. Ta bouche est entrouverte, tes jambes légèrement écartées. Je te détaille lentement, puisque ni ton regard, ni une impatience de ta part ne peuvent me déranger. Il n'y a que des questions dans ce lent travelling qui va de tes pieds à tes cheveux. Pourquoi suis-je fasciné par toi, par ce corps, cette personne ? Qu'ont-ils de si magique, quelle étrangeté recèlent-ils ? Plus je te regarde, plus je focalise mon attention sur telle parcelle de peau, telle partie de corps, et plus tu m'échappes. A cet instant tu es tout le monde et je ne parviens pas à comprendre ce qui te singularise tant à mes yeux.

Ce n'est pas la première fois que je passe une partie de ma nuit à te contempler ainsi. J'ai tout le loisir d'observer l'énigme que tu représentes et j'ai beau balayer cent fois et cent fois mon regard sur toi, je ne trouve pas le moindre indice qui apporterait l'ombre d'un début de réponse à mes questions. Je chuchote ton nom, Irène, comme si ajouter un minimum de bande-son à ce silence pouvait révéler une piste où je puisse dire, bon sang, mais c'est bien sûr !

J'aime ces heures privilégiées où le sommeil est ton seul maître. Je peux te regarder comme une enfant innocente, un être humain banal et normal vaincu par la fatigue et la nuit. Je sais que rien ne te tourmente, ni ton passé, ni notre histoire, ni tes démons qui me terrassent lorsque tu les laisses te guider.

J'effleure du bout du doigt la pointe d'un de tes seins pour vérifier si ce contact furtif provoquera chez moi l'électricité habituelle, le début du désir. Mais je le retire aussitôt, car tu viens de bouger. Je ne veux pas que tu te réveilles, je veux continuer à me poser des questions, à attendre des réponses qui ne viendront pas et c'est ma lancinante balade qui continue.

Un instant, je te trouve sans beauté, vulgaire même, sans grâce.

Comment est-il possible que je pleure tant tes silences lorsque tu es éveillée, alors que je me sens si paisible à te regarder muette?

5

J'avais commencé à écrire le Journal d'Irène. Style télégraphique...

8 janvier : Arrivée Irène *16 h 38.* Horaire prévu 16 h, retard 38 minutes. Baiser, étreinte. Premiers mots d'Irène, j'ai envie de faire pipi. Toilettes, chasse d'eau. Retour d'Irène : Tu n'as pas soif ? – Non. – Moi, si... Irène cuisine, bruits de robinet. Retour. Lèvres humides, Irène amour, Irène volupté...

9 janvier : Elle dit souvent : je veux me stabiliser. Elle fume dans la rue, je déteste ça. Elle accroche ses robes sur des cintres, à l'extérieur de la penderie, j'adore ça.

10 janvier : Son sac de voyage est resté trois jours dans l'entrée. Je la sens de passage. « Entre les hôtels, chez toi et chez moi, je suis sans domicile fixe », dit-elle. Elle rit. Peut-être un jour partira-t-elle pour cette raison. Trouver une solution.

11 janvier : Après le bain, elle se douche à l'eau glacée.

20 janvier : Lui ai offert son parfum, celui du jour de notre rencontre. Elle ne le porte que pour nous.

25 janvier : Irène : je ne vais jamais au théâtre. Tu m'emmèneras ?

Parfois je me demandais ce que ses parents, l'existence, ses amants lui avaient appris...

Parfois encore, j'aimais envelopper sa tête de ma main lorsque, comme une enfant épuisée d'avoir trop veillé, elle s'endormait dans mes bras sans prévenir.

Il y avait les jours tristes d'Irène. Irène abattue, Irène désemparée et j'assistais au spectacle d'une jeune femme en train de se débattre avec la vie et les choses...

27 janvier : Irène : « C'est quoi mon avenir ? C'est quoi la gauche, c'est quoi la droite ? Pourquoi le Coca light est si fadasse ? »

6

Je la regarde bouger, j'entends sa voix murmurer, je respire ses odeurs, je caresse ses hanches, je goûte son sexe...

Tous mes sens sont à l'affût de chacun des messages émis par son corps. Je la cherche, elle fuit, je la retrouve et sens un souffle venu d'au-delà de sa personne, une brise, un étonnement, et tout m'attache à cette femme lorsque le silence n'est brisé que par la caresse de mes doigts sur sa peau.

Comment nos deux labyrinthes ont-ils pu se superposer et inventer l'itinéraire où est en train de se tresser son histoire à la mienne?

7

Un soir, contrairement à ses habitudes, Irène téléphone peu après minuit, de l'hôtel *Palladia* de Toulouse. « Rappelle-moi », me dit-elle, et elle raccroche. Lorsque je l'ai à nouveau au bout du fil, elle est en pleurs, énervée, désabusée. « J'ai écouté mon répondeur et un message de la banque m'annonce que je suis interdite de chéquier et de carte bleue... »

Je la rassure, lui demande de se calmer et lui dis que l'on allait arranger ça. Je pose des questions : « Combien de chèques refusés ? – Une dizaine. – Quel montant ? – Douze mille ! »

Il y a quelques semaines, Irène était arrivée chez moi en début de soirée, était allée comme d'habitude boire un verre d'eau, puis m'avait demandé si ça me ferait plaisir de fumer un joint avec elle. Elle prit un petit morceau de hasch emballé dans du papier chocolat et m'assura qu'un ami de l'aéronautique le lui avait offert. Moi, j'étais plutôt havane et n'avais jamais de ma vie su avaler, sans tousser, la fumée d'une cigarette... Mais histoire de partager quelques bouffées avec elle et pour ne pas casser le rituel, j'avais, sans plus discuter, accepté. Elle avait semblé soulagée par mon attitude *je-m'en-foutiste* sur le sujet et sortit aussitôt ses feuilles à rouler. En quelques secondes elle fabriqua un petit embout avec une carte de visite qui traînait là. Je la regardai faire, gestes précis, collage des deux feuilles croisées, briquet pour amollir la pâte, mélange avec le tabac blond. Je trouvais là une Irène très experte et, devant mon étonnement, elle m'avoua qu'elle était restée trois ans avec un garçon qui fumait de l'aube au soir et que forcément elle l'avait accompagné.

« Il ne doit plus te rester qu'une centaine de neurones, tu devrais les protéger !... »

Les séances joints se répétèrent à doses homéopathiques et je pensai qu'Irène *fumait* aléatoirement, et en ma seule compagnie. Mais ce soir, alors qu'elle me parle de ses dépenses insensées, tout cela me revient à l'esprit et je lui demande si le hasch entre en compte dans les douze mille francs. Irène s'énerve, comment je peux penser une chose pareille, chaque fois qu'elle a fumé, c'est avec moi, ou à l'occasion d'escales, entre amis, jamais seule et en tous les cas, elle n'a pas *acheté* un seul gramme depuis que nous nous sommes rencontrés !

Je la crois, on n'en parle plus et lui demande concrètement ce qu'il faut faire pour résoudre au plus vite son problème du jour. Je pose une question dont je connais la réponse, mais je veux que ce soit Irène qui formule la demande précise. « Que tu m'avances les douze mille francs... Elle s'empresse d'ajouter : je te ferai un remboursement mensuel par prélèvement automatique. »

Je songe une fois encore aux pauvres du monde dont je ne connais aucun visage et que ma mauvaise conscience m'ordonne de subventionner, et me dis qu'avec Irène, j'ai un vrai cas à domicile, visible, avec identité et regard, une détresse à portée de main et qu'il serait malvenu de chercher une solution en dehors d'elle et moi. Sitôt mon engagement donné, je la sens apaisée.

Alors, contre toute attente et pour la première fois, elle me demande si je l'aime.

8

Ma mère passait régulièrement, une fois par semaine, me faire des tartes. Aux pommes en hiver, aux cerises au printemps, aux mirabelles en été, aux poires à l'automne. Elle aimait Walser et ils s'entendaient convenablement. Parfois, il lui faisait un cadeau, une broche, un bouquet de fleurs, une bouteille de parfum. Elle avait croisé une ou deux fois Irène au moment où celle-ci partait, en uniforme. Elle m'avait peu parlé à son sujet, sinon qu'elle la trouvait plutôt mignonne et... bavarde. Sa réflexion ne me surprit pas vraiment : j'avais en effet remarqué, sans y prendre garde, que lorsque Irène se trouvait dans une situation « gênante », elle se mettait à parler en enchaînant situations et idées avec une rapidité folle. Sautait du coq à l'âne, passait par des détours, s'écartait du sujet, inventait, comme s'il fallait absolument ne laisser aucune prise au silence. Elle agissait ainsi avec moi, chaque fois qu'il lui fallait masquer ou une faiblesse ou une faute. Un soir, au téléphone avec sa mère, en plus de son incroyable débit de paroles, je l'entendis encore mentir effrontément. Elle était allongée sur mon lit... « Bien sûr je t'appelle de chez moi, d'ailleurs il fait froid, je vais remonter le chauffage... » Dès qu'elle eut raccroché, je lui demandai pourquoi elle s'était crue obligée de mentir, alors qu'il était si simple de dire qu'elle était chez moi, que nous écoutions la musique de *Philadelphia* et que nous venions de boire un Château-Figeac 89 avec une assiette de fromages

(Langres, Époisses, Saint-Nectaire, Brie et Comté suisse).

Elle ne répondit rien et partit à la salle de bains se démaquiller.

9

A plusieurs reprises et pour connaître ses réactions, je tentai de reprendre à mon compte les silences téléphoniques si naturels à Irène.

J'essayai aussi la froideur, une indifférence sèche qui ne me ressemblait pas, et je parvins à ce qu'elle finisse par me reprocher de ne plus la voir que pour passer la nuit avec elle. Elle n'avait pas tort, mais je ne pouvais lui avouer qu'elle était la première femme avec qui je prenais un vrai et réel plaisir à m'endormir, collé à son corps comme à une bouée, la tête dans son parfum, rassuré, puisqu'elle était auprès de moi, avec le sentiment de tenir le monde entre mes bras. Que je me réjouissais de ces instants-là où, le désir apaisé, j'enfonçais doucement mes doigts dans ses seins, dans le gras de ses fesses comme un chat glissant avec volupté ses velours dans la toison d'une moquette.

10

Le producteur américain pour qui j'avais écrit un scénario nous a invités, Walser et moi, dans un restaurant de l'avenue George-V. Un groupe de quatre personnes, deux femmes deux hommes, se trouvent à la table d'à côté. A plusieurs reprises, inclinant distraitement la tête pendant notre conversation, j'observe qu'une des deux filles tourne régulièrement les yeux vers moi et, comme à un moment donné nos regards se croisent, j'esquisse un sourire de politesse auquel elle répond aussitôt. Des yeux d'un bleu intense, bleu floride (encre Waterman), très soutenu. Je suis à peine distrait par ce paysage attirant d'un regard peu commun, et reste attentif à notre conversation. Le producteur m'invite à rencontrer les deux scénaristes, un Français et un Américain, avec lesquels il me demande de collaborer pour la mouture finale. Je donne mon accord. Mais je sais dans le même temps que je ne participerai pas à cette phase ultime de scénarisation. Comme si je ressentais une lassitude. Et que l'idée même d'avoir à annoncer à Irène un travail, qui allait forcément empiéter sur le temps dispersé que ses horaires nous imposaient, m'angoissait au point que je m'interdisais à l'avance tout ce qui pouvait menacer davantage cette histoire, que je continuais à considérer comme fragile. Après quelques vagues promesses de ma part, le café et nos manteaux récupérés au vestiaire, nous nous retrouvons tous les trois dans la rue. La fille au regard-waterman que j'avais oubliée sort soudain du restaurant et, décidée, vient vers moi. Un peu pâle et tendue, elle s'explique : « Ce que je suis en train de faire n'est pas facile, vous le comprenez, mais si je ne me décide pas, à cet instant, vous ne saurez jamais ce qu'il s'est passé entre nous à votre insu. Vous étiez le 12 septembre dernier au *Bar de l'Oubli*, au bord de l'Atlantique, avec une très jolie fille aux cheveux noirs. Je suis arrivée pour déjeuner là avec l'homme que j'aimais et je n'ai pas cessé de vous regarder pendant tout le repas. Vous ne m'avez pas vue, mais moi, je ne voyais que vous... J'ai quitté cet homme le soir même... Ça vous va comme entrée en matière ? »

Bien que ma situation fût plus confortable que la sienne, j'étais presque aussi gêné qu'elle et je n'eus qu'un pauvre sourire à lui offrir pour confirmer que je trouvais l'introduction plutôt réussie. Je ne me souvenais pas d'elle. Comme dans ce genre de situation, la tête actionne immédiatement sa banque de données émotionnelles pour retrouver le détail qui va pouvoir se raccrocher au morceau de réalité qui vient de surgir, je me souvins qu'Irène avait attiré mon attention sur un couple qui venait d'arriver avec chacun un casque de moto sous le bras. Elle m'avait dit, regarde, cette fille a de superbes seins ! J'avais regardé, oui, ils étaient apparemment beaux... A l'instant, pourtant, je ne reconnaissais pas son visage, sans doute n'avais-je vu que sa poitrine en toute tranquillité puisque Irène en était le témoin consentant. Je lance : « Vous aviez un T-shirt en cachemire de couleur ciel avec des nuages ! » Elle sourit, je ne m'étais pas trompé, elle n'était plus seule à se souvenir de notre première rencontre au *Bar de l'Oubli* ! « Je m'appelle Angéla, je peux vous donner le téléphone de mon bureau? » J'acceptai. Elle griffonna sur une carte du restaurant son prénom et un numéro. Elle s'aperçut alors que mes amis attendaient dans le froid et me regarda une dernière fois avant de s'en aller.

« Il vous arrive des choses incroyables, me dit Walser. Elle est belle et en plus elle a une classe! »

Oui, au fait, Angéla portait un tailleur de couturier, et une croix de Cartier en or avec une émeraude et deux rubis. Le producteur me dit que j'avais de la chance avec les femmes et je surpris un sourire de Walser qui en disait long sur le fond de ses pensées. Notre ami américain nous salua et remonta l'avenue vers les Champs-Elysées.

« Le plus émouvant, dis-je à Walser, c'est qu'elle ait osé! Vous vous rendez compte de ce qu'elle a fait, venir avouer devant deux témoins un coup de foudre. »

Nous descendions vers l'Alma.

En passant devant les deux types du *Crazy Horse* déguisés en policiers canadiens, Walser me fit remarquer qu'en d'autres temps, je ne serais pas là à marcher à ses côtés et que vraisemblablement j'aurais immédiatement été prendre un verre avec la fille.

Nous achetâmes chacun *le Monde* à un kiosque à journaux et il me demanda brusquement : « C'est quoi votre vie en ce moment? »

11

Une main piquetée de taches brunes prend une reine noire sur un échiquier en marqueterie, puis se saisit d'un long verre où flottent des glaçons.

On entend la respiration de l'homme, les gestes sont lents et précis, on sent qu'une longue histoire de voyages et de chagrins prélude à tant de minutie. Une histoire d'homme, et de la guerre des hommes, une histoire d'homme, et de la guerre avec les femmes. La main qui vient de prendre une reine a caressé des corps et appuyé sur des gâchettes, elle a distribué du plaisir et porté le dernier coup. Elle sait que la lenteur en toute chose est une condition de la réussite, en amour comme à la mort, ne pas trembler et viser juste.

Vladimir aimait jouer aux échecs. Après nos balades le long du canal Saint-Martin, ou de celui de la Villette, nous nous retrouvions dans l'arrière-salle d'une académie de billard proche de la République. « Vous devriez goûter me dit-il, c'est Harrison, l'écrivain, qui m'a appris à boire ce truc, c'est juste des feuilles de menthe avec du bourbon, moi j'y ajoute une lichette de tequila pour que le Mexique ne soit jamais loin de ma vie, et du Tabasco parce que ça me fait jouir de l'ensemble. En Virginie, on appelle ça un *mint julep*. »

Vladimir gardait sur lui en toute saison, à l'extérieur comme à l'intérieur, un manteau à col d'astrakan qui le faisait ressembler à un comploteur bolchevique. « Je sais que vous n'avez qu'une hâte, c'est que nous parlions d'Irène, elle est le centre de vos préoccupations. Mais permettez-moi cette digression culinaire, il n'y a qu'un remède à l'incertitude sentimentale, c'est le Tabasco. Mettez du Tabasco partout, avec les viandes, les alcools, le poisson d'eau douce, les jus de fruits, la vodka, tout, ça vous emportera chaque fois ailleurs, avec le monde des volcans et du soleil, avec la sueur des tramways, le Tabasco c'est la vie avec les larmes et le bonheur en plus... Pour revenir à Irène, vous croyez en toute innocence que le mystère de votre attirance ne sera réglé que lorsqu'elle vous aimera. Ne comptez pas là-dessus ! Les jolies filles, c'est comme la littérature, elles ne servent qu'à apporter la désillusion. Pour la littérature, c'est une mission, et chacun y trouve son compte. Malheureusement, avec les jolies filles, le cadeau est un poison... »

Avec des gestes précis, il but une gorgée de son cocktail du Sud américain, « vous devriez en commander un ! » et après avoir regardé l'horloge accrochée au-dessus de nous, il toucha du doigt l'extrémité de son col de fourrure et je vis un sourire passer sur son visage...

« Le drame d'Irène, et par conséquent le vôtre, c'est qu'elle a un beau cul ! Et elle sait que quatre-vingt-dix-neuf pour cent des hommes qui la regardent ne pensent qu'à son beau cul. Alors, elle n'a de cesse de chercher *le centième*... Hélas, elle a tellement pris l'habitude de fonctionner avec les quatre-vingt-dix-neuf autres, que lorsqu'elle rencontre ce fameux centième, elle est incapable d'inventer pour lui un comportement nouveau, puisqu'elle n'a rien appris des autres. »

Je demandai finalement au garçon un *mint julep*, attendis qu'il me soit servi pour dédier une pensée attentive à Jim Harrison que Vladimir rencontrait de temps en temps dans son chalet du Michigan. « C'est moi qui l'ai converti au Tabasco... Un soir, il m'a préparé un lapin aux morilles. Après deux bouteilles de Haut-Brion 85 que j'avais tout spécialement fait venir de France, il m'a avoué : "Tu as raison pour le Tabasco : avec l'ail et le vin rouge, il m'a maintenu en vie quand la psychanalyse et la prière avaient échoué." »

12

Lorsqu'ils ne sont plus des prénoms de filles, perdus au-dessus des océans, les cyclones se mettent à tourbillonner de plus en plus vite à l'arrivée vers les côtes, afin que l'œil des hommes voie bien que tout doit céder sur leur passage, les palmiers et les maisons, les fils électriques et les supermarchés. A l'approche de la Saint-Valentin, fête des amoureux, le cyclone Irène prit de l'ampleur. Après l'interdiction bancaire et ses conséquences, la *Seat Ibiza* rendit l'âme un matin sur une bretelle aux alentours des pistes de Roissy, puis ce fut l'arrivée à Paris d'un de ses amis d'enfance, de retour du Venezuela.

Je crois que c'est tout pour le moment.

D'abord la banque. En dehors des chèques impayés, il fallut régler les prestations, c'est-à-dire douze dossiers à cent vingt francs l'unité. Je fis là encore le chèque.

Ensuite, la voiture. Irène avait une semaine de repos, j'avais sept jours devant moi pour résoudre cet autre problème.

L'ami d'enfance.

Elle *dormit* une nuit avec lui. Peut-être plus.

Première version : « Ce soir-là on n'était pas seuls, j'avais invité ma meilleure amie Corinne et son mari, tu peux les appeler, on a fait plein de photos et quand ils sont partis, vers trois heures du matin, *il* est resté à la maison, c'est normal, c'est un ami d'enfance. J'étais exténuée, je me suis tout de suite endormie. Mais il ne s'est rien passé. Il a dormi sur le canapé *(ligne Roset)*. »

Une semaine plus tard, alors que je viens d'acheter une *Civic Honda* pour que mon cas social personnel prénommé Irène puisse faire les quatre-vingts kilomètres qui la séparent de son lieu de travail, elle oublie chez moi le ticket de Photo-Service où elle a déposé les clichés à développer de la fameuse soirée. Je vais donc les chercher, et je constate que l'autoportrait automatique de son Pentax compact fonctionne parfaitement : Irène et l'ami d'enfance, au lit, tout sourires, émergeant nus sous les draps...

Deuxième version : « C'est un copain d'enfance, il m'a vue nue à diverses occasions, moi aussi, et puis nous avons dormi ensemble des tas de fois en vacances avec ses parents et les miens, tu peux appeler ma mère et lui demander... Je n'allais pas le laisser dormir sur le canapé *(Ligne Roset)*. On était tellement fatigués que je me suis tout de suite mise au lit *(Habitat)* et il est venu me rejoindre sous la couette *(BHV)*. On a dormi, je te jure... Il ne s'est rien passé.

– Mais les photos, Irène, vous vous tenez par le cou, vous vous embrassez, vous êtes serrés l'un contre l'autre...

– On avait un peu bu... On s'est juste un peu caressés... Mais il ne s'est rien passé. »

Je décidai de faire le mort et de partir dans un petit hôtel de la côte normande avec mes ingrédients habituels, *Powerbook*, papier, stylo-plume. Manquait la sérénité, restée collée à une phrase... « On s'est juste un peu caressés, mais il ne s'est rien passé... »

Irène, c'est sacré la peau des amants.

13

Pourtant, il existe ce réseau indicible qui unit deux êtres à travers les espaces du monde ? Que l'un se trouve au bord d'une falaise normande et l'autre dans une rue aux idéogrammes clignotants, ils se savent, ils se pensent, s'imaginent et l'impalpable absent est pourtant présent dans ce paysage étranger qu'il ne découvrira jamais. Son visage est là, figure centrale d'un décor inconnu où l'autre circule, et c'est alors une personne et son songe que l'on voit marcher dans un lieu du monde, armée de ce double, invisible et secret.

Les amants éloignés sont des croyants, ils croient à la présence absolue de cet autre comme on croit à un Dieu observateur muet de chaque geste, témoin de chaque pensée et à qui on peut confier sa peine ou un découragement. Ils ne prient pas, ne s'agenouillent pas, mais leurs prières muettes sont des élans du cœur, des flux de pensées qui voguent à travers montagnes, forêts et fleuves vers un sourire, une manière de marcher, un vêtement. Ils savent que chaque parcelle de leur corps est sacrée, que rien ne doit la saisir ni même l'effleurer, que ce territoire de l'autre *est* l'autre, et ils s'y tiennent, persuadés que la moindre défaillance effacerait à jamais ce mystère qui les unit.

Le soir, dans leur chambre d'hôtel, ils ne parlent pas, convaincus que tout mot devient inutile tant la présence de l'autre envahit ces murs anonymes que rien ne doit venir troubler. S'ils se chuchotent des mots, c'est au milieu de la foule d'un cocktail, d'une fête, d'un dîner et alors ils se prient et s'offrent. Eux sont présents dans un lieu où on les regarde comme s'ils étaient seuls, enfermés dans leur enveloppe de peau aux strictes limites de leur corps. Pourtant, ils se savent immenses, remplis de cette conviction, qu'ailleurs, ils sont présents et envahissent l'âme et la pensée de celui qui vit en même temps qu'eux, pour ce même instant du monde.

14

L'hiver, le froid. La vie est lente. Ici, une mer grise, des hôtels paquebots fermés et un mal qui me fait mal, au cœur du ventre, là où ça respire, là où on se regarde quand l'orgueil se démesure, là où on appuie pour faire sortir l'étrange dahlia qui vient d'envahir, pour une phrase de trop... Et l'image se met en boucle du début à la fin de la nuit...

La peau, le glissement, la caresse... Je suis seul face au ciel. Hier encore il y avait l'attente, la réjouissance, l'anxiété, il y avait de la vie et de la mort qui s'enlaçaient, donnaient deux versants au cours des choses...

Pardonner, haïr, aimer, les vagues disent toutes ces choses dans un bruit confus. Tout se mélange, comment choisir la voie, celle qui efface, qui apporte de la vie et du courage, que faire quand le torrent envahit et détruit, lorsque le flot emporte les promesses et les regards...

Dans le secret, *la faute* recouvre la terre et les nuages, elle est partout et personne ne la voit, sauf celui à qui elle est destinée qui partout l'aperçoit, elle recouvre les murs et les grains de sable d'une plage, aucun fragment de monde n'est épargné, les photons et les gouttes de brouillard, les nymphéas et les pierres de cathédrales, tous les iris et les joueurs de flûte en sont remplis, tapissés et nimbés...

L'aube d'un geste et le monde est trahi.

15

Une cabine téléphonique. Appeler et savoir ce qu'il y a dans les pensées Irène... Déjà, apprendre à pardonner. Une caresse, un geste de la nuit que le matin efface, la vie ne s'encombre pas des petites choses. Je l'imagine absente pour toujours, oui, c'est possible, et il faudrait vivre avec ça, apprendre à respirer, à expirer dans une autre atmosphère. Ce qui est impensable, à cet instant, c'est que cette moitié d'univers que je peux enlacer et étreindre disparaisse dans la nuit des autres, qu'elle sillonne les villes et les montagnes sans que je n'en perçoive plus la moindre trace. Que me resterait-il d'elle si je ne peux en être le témoin ?

Déjà, après quelques jours et quelques nuits, les façades des maisons reprennent couleurs et formes. Je suis un vagabond qui erre d'un hôtel à la grève, d'une plage à l'hôtel et qui voit *la faute* s'éloigner. Je raisonne, je pense, je m'oblige à regarder mon passé et à me voir, tel que j'ai été, lorsque j'ai caressé et effleuré. C'était avec d'autres femmes, celles d'avant Irène.

Aujourd'hui, à l'échelle de ce que je peux supporter, quel serait le plus haut degré d'une malédiction ? Qu'Irène se laisse absorber par le monde, sans moi à ses côtés pour la protéger. Sans moi pour voir son ventre et toucher ses cheveux. Sans moi pour lui apprendre à m'aimer et à ne pas confondre le ciel et les reflets du ciel lorsque la pluie a laissé des flaques sur le goudron.

Au loin, j'entends l'omniprésence des vagues, et si je rentre à l'intérieur de cette cabine vitrée, la rumeur des vagues redeviendra une voix, une seule voix qui parle, le son qui va me raconter mon histoire d'aujourd'hui avec la terre et les enfants, avec l'hiver et le givre, avec moi pour entendre tout cela.

Un numéro de téléphone est encore entre moi et le pardon, il suffit de composer de mémoire, et je saurai un tout petit peu plus qui je suis.

16

J'ai mis mon grand manteau noir, une écharpe. Une voiture du SAMU passe à toute vitesse sur les quais rive gauche. Deux motocyclistes profitent du gyrophare et de la sirène pour suivre son sillage. Les jours rallongent, il fait nuit, il va être huit heures. Nous ne nous sommes pas revus, Irène et moi, depuis « la nuit des caresses ».

Je marche vers notre rendez-vous, devant une boutique de parfumerie de la place Saint-Sulpice. Au téléphone, elle a dit peu de choses, peu de mots, tout était dans le son de la voix, j'entendais parfaitement la tendresse, l'impuissance devant des faits qui ne pouvaient s'effacer, la demande que tout redevienne meilleur.

J'arrive avec un peu de retard. La vitrine de la boutique est allumée, des flacons posés sur un froissé de soie sont disposés en cascade... *Eau d'Hadrien*, *Gardénia Passion*, *Eau du Ciel*, *Rose Absolue*, *Tubéreuse...* Je me retourne et saisis l'instant même où Irène surgit du parking par la sortie opposée, de l'autre côté du terre-plein. Je profite d'elle, caché par un kiosque à journaux, et la vois marcher à pas pressés, longer la fontaine illuminée, sa silhouette parfaitement découpée au milieu de la place déserte. Elle porte un manteau gris et tient un bouquet à la main. Au moment où elle traverse la rue, je sors de l'ombre et me place devant la boutique. Elle m'aperçoit et se met aussitôt à courir. Il ne me reste plus qu'à la happer lorsqu'elle se jette vers moi, à l'entourer, à la serrer, comme au retour d'un trop long voyage.

« Des iris, pour toi ! Et moi, pour toi aussi... Je te demande pardon. »

C'est tellement bon de sentir sa bouche, son odeur, son cou flexible que je peux caresser de mes cheveux. Irène est là, avec son corps, et l'histoire de son corps, entière, sans clair-obscur.

17 / Imagine.

« L'argent, tu l'as eu... Mon affection, elle t'indiffère... Et le roman que tu m'as promis est maintenant aux mains d'une fille de l'air, avec escales, copilotes et silences. Ça ne t'arrive jamais de faire comme tout le monde, de trouver quelqu'un qui t'aime dans le calme, qui te dise écris vite, j'ai hâte de lire ce que tu auras fait pendant notre histoire, qui te laisse dormir, qui te laisse souffler... Qui te donne à vivre et à rêver, tout simplement. Je te jure que ça existe des filles qui ne passent pas leurs nuits dans les chambres d'hôtel, qui rassurent, qui inspirent, qui inventent les mots qu'il faut, à l'exact moment où tu as envie de les entendre. Toi en plus tu es sans cesse à lui demander d'être ce qu'elle n'est pas. Pour elle tu es un extraterrestre, puisque jamais on ne lui a demandé d'être autrement que ce qu'elle est, c'est-à-dire, distraite, fofolle, amusante et sexy. C'est là-dessus que toute sa vie amoureuse s'est construite, elle ne peut le remettre en question. Ton Irène est empêtrée dans ses heures de vol, son planning, son avenir incertain, ses copineries, son petit monde de sexe et de séduction à trois sous, comment veux-tu qu'elle *imagine* une seconde que tu as l'ombre d'un problème avec elle. Mets-toi dans la tête que lorsque l'on est submergé de réel, important ou pas, chacun à sa mesure, il n'y a pas de place pour *imaginer* autre chose que ce que l'on vit. Et tu es en train de devenir comme elle puisque tu n'entrevois même plus qu'un bonheur simple puisse exister... Tu vas encore trouver que j'exagère, mais dis-moi pourquoi les juifs pendant la guerre qui étaient au courant des rafles, qui ont su et connu les camps de concentration, les exécutions, pourquoi te dis-je aucun n'a pensé à l'holocauste ? Pourquoi à ton avis ? Parce que c'était impensable, tout ce réel qui était là sous leurs yeux les empêchait d'*imaginer* autre chose que ce qu'ils voyaient. Et un holocauste ça ne se voit pas, ça s'*imagine*. C'est seulement après, quand l'imaginaire a pu s'extirper de ce trop-plein de réalité, que l'impensable est enfin devenu concevable... »

Oui, je trouvais que Landsdorff exagérait et surtout, que ça avait été une très mauvaise idée d'être allé dîner chez lui avec Irène. J'avais voulu qu'elle partage le monde dans lequel j'évoluais et qu'elle redoutait. Lorsque Landsdorff nous avait invités, je lui avais demandé son avis, et après quelques réticences et vérification de planning, elle avait accepté. Moi, je n'avais pas d'opinion sur le sujet et, bien que connaissant les lacunes culturelles d'Irène, je n'allais pas vivre en reclus auprès d'elle et l'isoler de tous ceux qui seraient amenés à porter un jugement sur elle. D'ailleurs ce soir-là, la conversation avait été monopolisée par un couple compassé d'écrivains revenant de Chine et qui nous offrirent un bouquet de lieux communs sur Mao dictateur, Tien An Men et l'impossible retour démocratique des pays communistes. Pendant le repas, je fis du pied et du genou à Irène avant de pouvoir lui glisser, au moment de nous rendre dans une sorte de petit boudoir où les cafés venaient d'être servis, que l'aéronautique ne détenait pas le monopole de la sottise.

Mais Landsdorff s'impatientait, je voyais bien qu'il

voulait en savoir plus sur Irène. Brusquement, il se leva, gardant son verre d'armagnac à la main, il l'entraîna avec habileté pour une visite privée de la maison et du parc. Je les regardai s'éloigner en me demandant comment elle allait se tirer des embuscades que forcément il allait tendre. Elle ne verrait rien venir et, en confiance, allait se raconter, nous raconter. J'eus envie d'embrasser Irène, de la serrer contre moi, la protéger, la supplier de ne tenir compte d'aucun sarcasme ou moquerie. Je ne voulais à aucun prix la voir revenir blessée.

L'absence fut longue, et je remarquai, dès leur arrivée, que Landsdorff avait repris son attitude austère, le cou étiré comme celui d'un oiseau inquiet. Irène, elle, était enchantée par un couple de cygnes qu'elle venait d'apercevoir, endormis à l'abri d'un buisson.

C'est deux jours après ce dîner, avec vraisemblablement un complément d'information, via Walser, sur l'infidélité d'Irène, ses ennuis d'argent... que Landsdorff crut bon de me tenir par téléphone la longue diatribe qui précède et qui se termina ainsi :

« ... Mais elle ne veut rien. Est-ce que tu comprends que c'est ce qu'il y a de pire ? Elle ne te veut rien. Ni ta mort, ni ta vie. C'est une fille qui se promène dans l'existence, sans repères, sans mémoire, qui passe d'un monde à l'autre comme si rien jamais ne communiquait et qu'il s'agisse à chaque fois d'un jeu nouveau. En fait, elle ne veut aucune histoire et ne passe avec toi qu'une succession d'instants qu'elle souhaite, tant qu'à faire, le plus agréables possible. Pas plus, pas moins. »

J'eus envie d'ajouter, vous m'emmerdez Landsdorff, et je me tus. J'eus aussi envie de lui dire que ses enquêtes et ses divagations sur Irène m'indifféraient au plus haut point. Qu'enfin se nouaient autour de moi des interrogations que ma vie amoureuse ne m'avait jamais posées jusque-là, et que ce mystère de *l'autre* était la chose la plus captivante qu'il m'ait été proposé de résoudre.

« C'est vrai, lui dis-je, je suis sans doute amoureux de quelqu'un qui n'est pas mon genre, mais il me semble que cela s'est déjà produit en littérature, n'est-ce pas ? »

Je ne lui laissai pas le temps de me dire que, cette fois, il s'agissait de ma vie, et je raccrochai.

18

Vladimir, Walser et moi étions réunis. Pour un départ, celui d'Anton Vladimir qui nous quittait comme une cigogne, migrant à nouveau vers des visages qui l'appelaient de par le monde. C'était cela ses soleils, son Sud, qui lui disaient, arrive Vladimir, viens te nicher dans nos bras et nos alcools, viens renifler le Tabasco mon joli ! Doté de son éternel manteau à col d'astrakan, il nous défie et, levant son verre, nous invite à boire à la santé de la femme qu'il part retrouver. « Quinze ans sans se voir, elle appelle et je cours, qu'est-ce que vous dites de ça, la jeunesse ? Moi aussi, me dit-il, j'ai eu mon Irène... Quinze ans sans nouvelles, sans coup de fil, sans photo, sans lettre et elle décide qu'il faut que l'on se lèche une dernière fois le museau avant de mourir, et moi, je file comme un lapin au bout du monde... A Phoenix, Arizona. Vous voyez, l'amour c'est long, très long. » Tchin tchin, Walser est impressionné et ravi, il n'avait rencontré Vladimir qu'en public, jamais en intime. « Mes amis, je suis un homme heureux et je vais vous dire pourquoi : il n'y a que trois choses qui m'ont intéressé dans la vie, les départs, les femmes et les arrivées. Avec ça on se fabrique des histoires qui déambulent, j'aime que ça bouge, que ça meure et que ça prenne vie ailleurs... Elle s'appelle Roberta, sept petites lettres, c'est peu pour un grand cœur ! Comment vous dire... On aime de rares fois dans sa vie, les femmes savent cela mieux que les hommes, leur force, c'est de faire comme si elles l'ignoraient, parce qu'elles ont un orgueil que vous n'imaginez pas, certaines ont préféré mourir d'ennui et de tristesse plutôt que de s'avouer cela. Roberta vient d'avoir un sursaut d'humilité... Quinze ans! Elles ne savent pas compter les années. Trop jeunes, elles veulent tout précipiter, puis un jour, elles ne pensent qu'à l'éternité. Leur temps n'est pas notre temps. Répétez cela à votre ami, Walser, il croit que tout le monde va à la même vitesse que lui... »

Le taxi venait d'arriver en bas de l'immeuble du boulevard Richard-Lenoir. Un homme avec chapeau vint prévenir Vladimir que tout était prêt et qu'il fallait partir. Les bagages étaient déjà descendus, l'homme portait deux mallettes de voyage. Nous descendîmes tous les quatre dans l'ascenseur à grille. Au moment de monter dans le taxi, Vladimir serra la main de Walser et, pendant que l'homme au chapeau montait à l'arrière du taxi, il me prit dans ses bras. « Je vous aime, me dit-il, parce que vous savez écouter le bruit du monde... C'est une force et c'est parfois insupportable. En ce moment, vous êtes fragile, faites attention à vous. Pour qu'un jour elle sache aussi vous protéger, rassurez Irène, vous lui faites peur et c'est pourquoi elle se défend n'importe comment, mais votre monde l'impressionne, pensez de son point de vue... » Vladimir m'embrassa en me serrant une fois encore, très fort. « Nous nous reverrons vite », lui dis-je.

Je l'aidai à se plier pour entrer dans la voiture. Il retint mon geste, lorsque je voulus claquer la portière. « Avez-vous trouvé si Irène était la deuxième ou la troisième statuette ? » me chuchota-t-il.

Puis il sourit et tira la porte vers lui. Il fit un dernier

signe à travers la vitre et nous sommes restés là, Walser et moi, à ne rien dire, comme si parler eût été une faute de goût.

19

Irène utilisait à nouveau chéquiers et carte bancaire, roulait dans sa *Civic Honda* gris métallisé, et son appartement était agréablement meublé. J'avais pensé qu'en lui réparant les petits accrocs qui gâchent le quotidien de la vie, Irène retrouverait un esprit libre pour consacrer du temps et de l'attention à notre histoire qu'elle malmenait depuis ses débuts. Pourtant, elle continua à donner libre cours à sa désinvolture à mon égard, capable de faire la morte durant deux jours ou de se taire toute une soirée, que ce soit chez moi ou dans un lieu qu'elle affectionnait, comme cet ancien relais de chasse situé en forêt, à un kilomètre du bord de Loire, où nous aimions aller.

Deux semaines après notre rencontre de l'avenue George-V, je téléphonai à Angéla.

Lorsque je m'annonçai à la secrétaire, j'entendis un « ah bon », qui semblait vouloir dire : « Enfin, vous vous décidez ! » J'eus immédiatement droit à une collection de numéros, fax, téléphone de voiture, téléphone personnel et de plus, ultime message : « Mademoiselle Angéla est en ce moment en Afrique, je vais vous donner le numéro de l'hôtel où vous pouvez la joindre ce soir après huit heures, heure française... » En retour, je donnai mon numéro et raccrochai.

Le soir même, Angéla laissait, sur mon répondeur, un message d'Abidjan (Côte-d'Ivoire) insistant pour que l'on se rencontre dès son retour, dans deux jours.

Deuxième message dans la nuit, un troisième le lendemain matin...

Je fus rassuré de vérifier que ce n'était pas mon imaginaire qui embellissait un passé phantasmatique face à une réalité décevante, puisque j'assistais, en simultané et en parallèle, à deux comportements radicalement opposés. L'une téléphonait, l'autre pas. L'une semblait désirante, l'autre éternellement absente. Face à Angéla, je retrouvais des marques dont Irène avait fini par me faire douter.

Rendez-vous est pris, au retour d'Afrique, dans une brasserie de Saint-Germain. 21 heures, je suis à l'heure. Deux minutes plus tard, la caissière de l'établissement me prévient qu'une demoiselle Angéla vient d'appeler depuis sa voiture : son vol a eu un léger retard, elle est sur la route de l'aéroport. Prévenance.

Je bois un gin-tonic et me demande quels mots elle va trouver qui lui permettront, sans se disqualifier, d'expliquer l'étrange intérêt qu'elle me porte.

Je la vois entrer, me chercher, s'asseoir en face de moi, le temps à peine de redécouvrir ses yeux, je demande sans détour et avec le sourire : « Que me voulez-vous ? » Sa réponse est on ne peut plus rapide et claire, énoncée sans sourire, et presque gravement : « Vivre une histoire d'amour avec vous ! »

Je laisse filer quelques secondes pour absorber l'information et dissimuler mon trouble. Sa détermination m'impressionne et m'émeut dans le même temps. Admiration pour elle qui, au contraire de toutes les stratégies amoureuses, commence l'histoire là où certains la terminent.

Je fais diversion. Je l'interroge sur ses activités. J'apprends qu'elle est une femme d'affaires. Jeune, vingt-sept ans (l'âge d'Irène). Négociations en Afrique pour l'achat de café, négociations avec le gouvernement de Hô Chi Minh-Ville pour l'implantation d'usines de torréfaction, une mère iranienne, un père français, le métissage lui va bien. Lorsqu'elle me demande où j'ai l'intention de dîner, j'indique à tout hasard un restaurant du quartier où j'ai des habitudes. Elle semble ravie. Nous sortons, je la vois se diriger vers un homme assis au volant d'une voiture, puis revenir vers moi. « J'ai demandé à mon chauffeur de venir nous prendre vers minuit, ça te va ? »

20

« A minuit, je vous jure Walser, le chauffeur nous attendait devant le restaurant...

– Avec casquette ?

– Sans... Dans la longue voiture sombre Angéla s'est tue. Alors j'ai indiqué mon adresse. Petit moment de flottement en arrivant devant ma porte d'immeuble, je l'ai embrassée et lui ai dit au revoir...

– J'ai l'impression que vous me racontez un scénario ! me dit Walser. Vous l'avez laissée partir ? Pourquoi ne pas avoir essayé un début de romance avec elle, pourquoi en être resté là ? Une superbe fille, intelligente, qui réussit plutôt bien sa vie, vous propose une histoire d'amour et vous finassez...

– Je ne sais quoi vous dire de plus, Walser. Qu'Angéla me plaise, c'est l'évidence... Mais il y a Irène, et avec elle, ce quelque chose d'autre que je ne peux m'expliquer. »

Walser semble déçu.

Nous marchons côte à côte dans une rue qui longe le cimetière du Père-Lachaise, près du théâtre de la Colline où nous venons d'assister à une pièce de Schnitzler, *les Journalistes.*

« C'est cet *autre chose* qui fait que vous ne l'avez pas quittée après sa nuit avec l'ami d'enfance ? demande Walser.

– Sans doute. Lorsque je me suis trouvé seul sur la côte normande, je n'ai pas dormi durant les trois nuits, je repensais à ces infâmes caresses, à ces sordides petits secrets que l'imagination sait si bien nous fabriquer et je me voyais parfaitement l'appeler pour lui dire que tous ces jeux de tromperie et de duplicité étaient terminés. Je me voyais très bien lui dire cela pour apaiser une rancœur... Je ne l'ai pas fait, parce que je me suis imaginé sans elle, et cette idée m'est apparue si insupportable que j'ai su que ce serait toujours cela la plus haute des douleurs, et que par conséquent, tout le reste demeurait négociable...

Finalement, le comportement amoureux d'Irène est très masculin, Walser. Elle est sans cesse absente pour son travail, elle me trompe, et moi je reste à la maison. Avec elle, j'ai l'impression de me féminiser, je suis fidèle et, pareil aux femmes de marins qui guettent au port le retour de l'élu, je l'attends. Je suis devenu une femme de terre-neuvas, Walser : Irène part au large, et moi je scrute le ciel !

– Si je comprends bien, tant qu'elle ne vous dira pas : je te quitte, elle pourra vous faire tout subir ?

– Non. Il doit y avoir un moment où le dégoût l'emporte. Le dégoût de l'autre, pour vous avoir imposé trop de médiocrités, et le dégoût de soi, pour les avoir acceptées. »

21 / Offrande.

Le printemps était là.

Engourdi, je restais de plus en plus souvent allongé sur mon lit à écouter de la musique, fumer des *Rey del Mundo* (Choix suprême), à espérer le moment où elle arriverait en escale pour m'appeler. Je voyageais avec Irène par procuration et consultais sur minitel les horaires de ses mouvements. Je savais ainsi, en temps réel, quand un avion avait pris du retard dès le décollage et si le plan de vol était respecté. Je pouvais alors gommer les longues minutes d'attente dont seule l'aviation civile était responsable, pour n'avoir à gérer que son temps de réaction à elle, que je continuais, malgré mes demandes répétées, à trouver anormalement long. « J'ai l'impression d'entendre ma mère, me dit-elle, qui veut que je l'informe sans cesse de ce que je fais et là où je suis. – Je ne te demande pas de me renseigner sur tes faits et gestes, j'ai simplement envie, comme une offrande de ta part, que tu me dises lorsque tu entres dans une chambre d'hôtel, *je viens d'arriver, je pense à toi.* Je te jure, ça se fait ! »

Quelques jours plus tard, je m'entretiens avec Landsdorff par téléphone. Il est à son bureau. Pendant notre conversation, sonnerie d'une autre ligne, excuse-moi, me dit-il, et je l'entends simplement dire à la personne qui l'appelle, « tu es un amour », la conversation a duré dix secondes à peine, et lorsqu'il me reprend, il explique : c'est ma femme, elle vient d'appeler pour me dire qu'elle m'aimait. Juste ça : « Je t'appelle pour te dire que je t'aime. »

Un court instant, je fus jaloux, malgré moi, du cadeau que Landsdorff venait de recevoir en ma présence. Mais comment expliquer et communiquer – ce qui semblait si évident pour tant d'autres, mais pas pour elle – ces choses simples à Irène ?

Elle évoqua, milieu avril, dans le parc de Saint-Cloud où nous étions venus manger des gaufres, l'idée d'un enfant à venir. « Oh, pas maintenant », s'empressa-t-elle de dire, sans doute pour ne pas me brusquer. Puis elle ajouta, comme si ce lieu paisible était propice aux aveux et confidences, comme si aussi elle ne parvenait à se dévoiler qu'à de très courts moments, pour aussitôt reprendre son autonomie, sa vie, une autre vie qu'elle semblait finalement ne pas partager avec moi : « Tu es l'homme que j'attends depuis longtemps... A l'aéroport de Bordeaux, lorsque tu es entré dans l'avion, je t'ai tout de suite remarqué, puis tu as retiré tes lunettes de soleil et j'ai su que c'était toi. Tu te souviens, il y avait une femme avec un enfant devant toi, et j'ai paniqué, j'ai cru que vous étiez ensemble. »

C'est la première fois qu'elle parlait ainsi, sans méfiance, directe, qu'elle *s'avouait*. Malgré des apparences contrariantes, je ne pus m'empêcher de songer à la troisième statuette de Vladimir.

22 / Journal d'Irène.

18 avril : 20 h 30, Irène arrive de Tunis. Dattes fraîches. Je ne la laisse pas se changer, phantasme de l'hôtesse, sa jupe se déchire. Excuses. *20 avril* : Irène se fait couper les cheveux. Trop courts. Elle se trouve laide. Pleurs. *22 avril* : Je lui demande si elle m'aime. Plus que cela, *je te désire*. C'est ce qu'elle répond. *25 avril* : Restaurant en terrasse. Un groupe classique joue le concerto d'Albinoni dans la rue. Irène : J'aimerais qu'on joue cette musique à mon enterrement ! *26 avril* : St-Paul-de-Vence. Elle part subitement d'un café. Dîner à la grimace, silence. Que se passe-t-il ? *27 avril* : Elle veut remonter à Paris. Tendue. Agressive. Fermée. Rendez-vous médecin. *28 avril* : Dix de tension. Terrain dépressif, Prozac. Vitamines. *29 avril* : Elle ne veut pas déjeuner. Suis seul à la terrasse. Je lui apporte une coupe de fraises des bois. Elle la renverse.

1er mai : En sortant de la chambre, elle tombe dans les escaliers. Hématome à la cuisse. Je ris. Je n'aurais pas dû. *2 mai* : Elle décide de repartir à Paris. A l'aéroport, elle renverse la tasse de café et la soucoupe. Seul. Je respire. Ouf ! *3 mai* : Mon anniversaire. Enorme bouquet de fleurs de Walser, télégramme d'Irène, téléphone de ma mère. J'écris un portrait de Lou Andreas-Salomé pour un magazine. Cette phrase de Rilke : « *Il est bon d'être seul, car la solitude est difficile. Il est bon aussi d'aimer, car l'amour est difficile.* » (Envoyer ce texte à Irène.) *4 mai* : Gino est à Nice. Il rend visite à ses parents. Dîner Gino : Irène est une fille-galère, oublie-la. Elle te trompera toujours ! Obsession à nouveau : la quitter. Je me sens fort. *5 mai* : Lou Andreas-Salomé, une Schiffer/de Beauvoir réussie. *6 mai* : Quitter Irène. Je me sens fort. Gino : Tu l'emmènes dans des palaces et elle ne rêve que du Club Med. Je surnomme Gino « mon dégoûteur d'Irène ». *7 mai* : Je faiblis. Que fait-elle ? Dépressive et seule. Je suis un salaud. *8 mai* : Retour Paris. J'appelle Irène. Répondeur. Le soir, dîner avec Walser et une de ses fiancées, Mathilde. 2 heures du matin, retour chez moi. Message répondeur (23 h 43) : je suis une amie d'Irène, nous sommes à une fête, Irène s'est fendu l'arcade sourcilière. Rappelez ce numéro. Quand arrivera le pire ? Trop tard pour téléphoner. *9 mai* : 6 h du matin. Petite voix. Récit d'Irène : Je viens d'arriver chez moi. Hier soir, je me suis arrêtée à un supermarché acheter du champagne pour la fête, en sortant du parking une voiture m'est rentrée dedans, le type roulait trop vite, ce n'est pas de ma faute. Une aile froissée. Je suis allée quand même à la soirée. Quatre-vingts personnes. Et là, j'ai un peu bu, et à cause du Prozac, je suis tombée contre un coin de table, j'avais la figure en sang. La fille qui t'a appelé m'a aidée à monter dans une chambre de la maison, et je me suis endormie. Ce n'est pas fini. Dans la nuit deux garçons ont essayé de retirer mon collant, je me suis débattue, j'ai crié, finalement, ils sont partis et je me suis enfermée à clé. Tôt ce matin je me suis réveillée, j'ai pris ma voiture cabossée et me voilà. Je vais appeler un médecin pour les points de suture. Tu es enfin revenu... Elle raccroche. Je me dis, bravo Irène : une tentative de viol, un accident de voiture et une arcade sourcilière fendue! Tout ça en une seule soirée, Walser aura du mal à me croire... *10 mai* : Irène pâlichonne. Petite mine. Emouvante. Perdue une fois encore dans le monde. Je la serre très fort. Ne pas la perdre, pas maintenant. *28 mai* : Anniversaire de notre rencontre, un an d'Irène... Je n'ai pas entamé de roman...

3 juin : Premier remboursement d'Irène. Virement automatique : 1 800 francs. *15 juin* : Irène : Le monde est dégueulasse. Tous ces gens qui se tuent. J'ai horreur de la violence. Qu'est-ce qui se passe exactement en Yougoslavie? *18 juin* : J'ai encore mal à mon hématome. Et ça te fait rire!

7 juillet : Festival de jazz de Montreux (Suisse). Ma chambre (313) donne sur le lac et les montagnes. Irène n'est pas là. Tu me manques. *8 juillet* : Lui faire partager toute cette beauté et ce luxe. Un orage et le monde est tragique. *19 juillet* : Retour à Montreux avec Irène. Hôtel L'Eden du lac (chambre 112). Premier étage, sombre. Vue décevante. *20 juillet* : Montreux Palace (chambre 402). Elle est heureuse. Soleil, balcon, piscine, amour. *23 juillet* : Aveu d'Irène : C'est si beau et calme ici. Il faut que je t'avoue. Au mois de mai dernier, à St Paul, j'ai été agressive parce que je n'avais plus de hasch. J'étais dépressive et en manque. Tu comprends. Je suis remontée à Paris pour en acheter. Tu me pardonnes. Je voulais te dire ça depuis longtemps. J'ai toujours fumé depuis que je suis avec toi. Je n'osais pas t'en parler. Maintenant, j'ai vraiment arrêté. Je trouve ça nul d'être dépendante et de gâcher nos séjours. Je me sens mieux de te l'avoir dit. *29 juillet* : Paris. Dîner chez Corinne, sa meilleure amie. Déterminée, cultivée et mariée. Stable. L'opposé d'Irène. *30 juillet* : Concert Pink Floyd à Chantilly avec Irène.

> Lorsque David Gilmour a entamé le chorus de guitare électrique de *Hey Teacher*, j'ai pris ta main et j'ai vu cent mille autres visages de mes vingt ans, une autre nuit de septembre où tu ne pouvais être là, au parc de Vincennes. Nous étions allongés par terre, des étoiles de fées au-dessus de nous, tranquilles et confiants. L'avenir n'était qu'un mot, et le temps, un contrat maléfique que nous, sorciers, saurions apprivoiser. David Gilmour, vingt ans plus tard, t'a dit : « Je vous vois pour la première fois et c'est comme un dernier amour. » Tu ne peux l'avoir oublié, Irène. Lorsque nous nous sommes retrouvés dans le train entre Chantilly et la gare du Nord, tu t'es endormie et pendant que je caressais tes cheveux, un orage a éclaté à l'entrée de Paris. Par la vitre du train, un déluge de pluie. Une jeune fille en pull serré a dansé sur une banquette pour épater deux garçons qui se partageaient une *Lucky Strike*. Tu t'es réveillée et tu as dit qu'il ne faudrait jamais penser à l'avenir, que c'était une maladie, une pensée qui étouffait ta vie d'aujourd'hui.

16 août : Nice/aéroport. Vacances. Irène veut absolument une voiture de location. Moi pas. Elle insiste : tu écriras et tu auras la paix. A tes ordres Irène. St-Paul-de-Vence à nouveau. La Colombe d'Or (chambre 33). *17 août* : Tensions. J'écris ce journal et mes éternels débuts de romans. Je lis *Jazz* de Toni Morrison. J'ai mal dans le dos, aux muscles. Kiné. *19 août* : Irène veut aller faire des photos en montagne. 15 heures. Elle prend la voiture. 16 heures. Rendez-vous kiné. 16 h 16. Sonnerie téléphone. Irène : Je viens d'avoir un accident. Moi : Tu n'as rien. Elle : Non. Rassure-toi. Mais la voiture est morte. Les gendarmes sont là. Ce n'est pas de ma faute. Il y avait de l'huile sur la route. J'ai appelé un taxi qui va me conduire à l'aéroport. Je prendrai une autre voiture à l'agence... C'est prévu dans les contrats en cas d'accident ! Clic. Je suis excédé. Cette voiture dont je ne voulais pas... *Même jour, 22 heures.* Retour Irène tard le soir. Elle est encore choquée. Moi encore excédé. Je mets du temps à retrouver du calme pour la réconforter. *25 août* : Veille du départ. Irène envoie dix cartes postales. Parents, famille, amis. Par hasard, je lis : elle a écrit le même texte sur toutes les cartes : *En plein bonheur et au milieu des fleurs, je pense à vous. Irène.*

21 septembre : Irène : C'est la dernière fois que je te demande ça, peux-tu m'avancer 8 000 francs pour payer mes impôts. Je te signe un chèque, tu le toucheras fin décembre quand j'aurai ma prime. OK Irène.

29 octobre : Irène en congés. Pourtant, elle se rend à

Marseille. Un anniversaire. Curieux. Ne m'appelle pas, dit-elle, je n'ai pas de chambre, je dormirai avec une copine hôtesse...

5 novembre : Gynécologue. Irène doit subir une intervention chirurgicale en décembre prochain. *6 novembre* : Irène au Flore, dit brusquement : J'ai envie qu'on se sépare. Prendre du large, tu comprends. Je ne réponds rien. Je pense : tu as raison. Je suis soulagé. C'est elle qui prend la décision. Elle ajoute : tu ne me dis jamais que tu m'aimes. Je ne sais rien de toi. Tu n'as jamais dit si tu voulais un enfant. Qu'est-ce que tu veux avec moi ? *7 novembre* : C'est vrai, je ne lui ai jamais dit que je l'aimais. Comment lui expliquer le mystère qu'elle représente. *20 novembre* : Gino au téléphone : Je suis en rendez-vous au Mercure de Bordeaux. Je viens de voir Irène. Elle tenait un homme par la main. Vous êtes séparés ? On aurait dit un couple... Ça me frappe en plein cœur. Ce n'était donc pas un éloignement pour faire le point. Une aventure. Encore. Tous les sept mois, donc. J'appelle Irène à Bordeaux. Tu es seule ? Oui. Tu es sûre ? Non. J'héberge un ami qui n'a pas de chambre. Adieu Irène.

21 novembre : Elle n'appelle pas.

22 novembre : Elle n'appelle pas.

25 novembre : Je téléphone à Aix-en-Provence à sa mère. Elle dit : Irène a toujours menti, à moi, à vous, à tout le monde. Elle n'a pas d'égards pour les gens. Même les lettres d'amour qu'elle écrit sont faites des lettres qu'elle a reçues... Ma tête chavire, ma raison s'envole, je te désire. Elle vous a sûrement écrit ça, comme aux autres... Si vous pouviez lui apprendre à remplir les mots par ce qu'ils doivent contenir... Je vous écrirai pour vous dire quand et pourquoi les choses se sont cassées. Pas maintenant... *26 novembre* : Pour ne pas avoir à rester planté devant le téléphone, je m'installe à l'hôtel.

6 décembre : Cinquante iris à la clinique où Irène est opérée. Je vais la voir. Elle dit : on ne se quitte pas, je t'en supplie. *7 décembre* : 17 heures. Elle vient me rejoindre à l'hôtel. Explications : j'avais besoin de réconfort. Tu t'éloignais de moi. J'ai toujours cru que tu ne m'aimais pas. Quand j'ai eu l'accident cet été, tu ne m'as pas bercée, tu n'es pas venu à mon secours. J'ai pensé que je n'étais rien. Alors ce type – il est pilote – qui est chauve et moche, a été gentil avec moi. Il m'a vue en détresse. Mais il ne s'est rien passé (déjà entendu). Juste des caresses (décidément). D'ailleurs il est impuissant (énorme non ?). Ça fait quinze ans qu'il est marié et il n'a pas fait l'amour depuis deux ans. Aujourd'hui cette histoire est terminée. Ce n'était pas important.

Le même soir. Autour de minuit : Qui est cette fille ? L'amoureuse d'aujourd'hui ? Celle qui trompe depuis deux mois ? Celle qui ment toujours ? Cauchemar. Comment en suis-je arrivé là ?

9 décembre : Troisième nuit à l'hôtel. Sordide. La femme qui me trompe dort dans le même lit que moi. Tout est crasse. Médiocrité. Malheureux et jaloux. Amer. Déçu. Triste. Elle dort. Une heure du matin. Son sac de voyage est dans l'entrée. J'hésite. Comment savoir ? Sordide pour sordide, j'ouvre. Tout va vite. Une boîte de préservatifs. Son agenda : En parallèle, deux plannings. Celui de *l'amant* et celui d'Irène. Leurs escales communes, les villes où pouvoir se joindre consignées là jusqu'à la fin de l'année. Une histoire planifiée. Envie de vomir. Crier. Je sors. Paris la nuit. Saint-Germain, Lutétia, Montparnasse. Je marche. Il faut décider maintenant. Sortir du cauchemar, sortir de l'imbroglio d'une histoire sale qui n'aura jamais de fin. Retour à l'hôtel. Trois heures. Le veilleur de nuit me demande si tout va bien. Je m'allonge tout habillé sur le lit. Je la regarde. Je vais fumer un cigare (*Montecristo n° 3)* dans le salon. La nuit passe. Le jour se lève. J'ai mal partout. Dedans. Dehors.

10 décembre : Dix heures du matin. Réveille-toi Irène. Fais tes bagages. Il n'y a plus d'histoire. Tu mens. Tu trompes. Tu méprises. C'est trop. Je regrette de t'avoir rencontrée. Je me suis trompé. J'ai cru.

Irène livide. Irène comme une morte.

23

Pierres blanches et gris pâle de la basilique de Vézelay, je suis à l'entrée de la nef, hésitant.

Au loin, la lumière baigne le chœur. Un repère, une tentation. Walser est resté sur le parvis. Je suis seul. Une émotion. Je n'ose faire un pas. Je sens la frontière. Là où je me trouve, règne une pénombre. Mais la lumière est là, criante, juste devant moi et me ravit les yeux. C'est un appel. Lorsque je vais avancer, se détacheront de moi un passé douloureux, une rupture datant d'hier, encore vive.

Je m'engage lentement dans la nef, le regard cloué aux halos qui sortent des vitraux, sas entre le ciel et moi. A chaque pas, mon fardeau s'allège. Je pense à ma vie d'avant Irène, écrivain, travaillant à chaque heure, jour après jour, sur les mots et leur beauté, leur agencement, comme un tailleur de pierre qui cogne et frappe, je frappais ma machine, le clavier, de mes éclats de lettres pour former images et sons, des émotions, et l'étrange agencement d'un ordre non prévu, celui de ma liberté. Je veux redevenir l'intercesseur entre le muet et le dit, un passeur de mots. Je m'avance et je sens cette gangue qui m'a recouvert depuis des mois se dissoudre au fur et à mesure de mes pas...

Je charge l'ombre derrière moi de happer les mensonges et les vilenies. Ma jalousie.

24

Irène a fait opposition sur le dernier chèque qu'elle m'a signé et que je viens de déposer à la banque.

Je changeai mes numéros de téléphone. En réponse, elle fit de même une semaine plus tard. Nous ne pouvions plus ni nous joindre, ni nous parler, chacune de nos galaxies remportait ses étoiles et s'éloignait, pour chaque seconde de silence, à autant d'années-lumière.

Naissance d’une passion

3

1

Walser prit les choses en main.

Il loua deux chambres côte à côte, et en bout de bâtiment, dans un petit hôtel-pension des Monts du Lyonnais où il aimait faire retraite. Un lieu à l'écart de tout, d'un village, des villes bien entendu, à flanc de montagne et en dominance de plusieurs vallées. « Vous vous plairez là-bas, dit-il, et ça vous fera le plus grand bien. Deux femmes tiennent cet endroit où tout est calme et harmonie : le paysage de champs et de forêts, les formes arrondies des sommets... »

Le programme fut défini ainsi : « Tous les jours, écriture, dit Walser, moi j'ai un texte sur Hölderlin que je veux terminer depuis longtemps. A cette saison, nous serons vraisemblablement seuls dans l'hôtel, vous verrez, chaque soir une des filles prépare la cheminée et, à notre heure nous craquons l'allumette. Matin, balade, la campagne est magnifique, après-midi, écriture chacun de son côté, le soir, avant et après dîner, commentaires au coin du feu sur le travail de la journée et discussions diverses sur les affaires du monde. Cela vous convient ? »

Nous sommes début janvier, nous prenons un TGV pour Lyon. Un taxi nous attend en gare et nous conduit par nationale, départementale, vicinale et chemins divers à notre refuge de ce bout de monde. A notre arrivée, la neige se met à tomber et je ne peux m'empêcher de regarder l'enchevêtrement des montagnes d'en face, aux courbes douces, passer du vert cru au vert clair puis enfin au blanc. La mécanique des flocons est apaisante et, apaisante aussi la présence, dans la chambre d'à côté, de Walser, dont j'entends régulièrement les rapides raclements de gorge, signes d'une activité intense, liée à un enchaînement, tout aussi intense, de havanes.

Hébété par tant de calme et devant cette banalité de saison qui se nomme une chute de neige, par la brume qui se met à couvrir les sommets, par les lumières, enfin, des villages de la vallée qui s'allument au fur et à mesure que la nuit tombe, je m'autorise à profiter du spectacle, jusqu'au soir, sans un seul mouvement, assis, face à ma baie vitrée.

2

Longue balade au premier matin en direction du village. Walser est emmitouflé comme un Tatar, bonnet de fourrure, moufles et chaussures molletonnées. La route est verglacée et après une heure de marche, nous évaluons, sans poteau indicateur pour nous renseigner, qu'il doit bien nous rester deux kilomètres. Nous rebroussons chemin. Nous bavardons sans interruption et j'aime voir nos buées nous précéder, comme un avant-goût des mots qui vont être dits. J'évite le sujet Irène. Nous revenons fréquemment sur nos enfances, comment les choses se sont constituées, le goût d'apprendre, de savoir, de comprendre.

Walser a passé ses onze premières années à Rome où son père, traducteur, devint conseiller culturel d'ambassade. Ce fut ensuite Prague jusqu'à seize ans avant le retour sur Paris. De la place Navona à la place Venceslas, Walser absorba une quantité impressionnante et variée de livres, de Platon à Jack London en passant par Kierkegaard et Musil qu'il lut dans le texte, parlant couramment à la maison l'allemand qui était la langue de sa mère. « J'ai toujours eu le sentiment d'être en exil, me dit-il, ni allemand, ni français, vivant à l'étranger, je regardais la carte de l'Europe comme une mosaïque de provinces où j'avais mes villégiatures, mais aucun port d'attache. C'est finalement agréable, puisque l'on passe vite du *nulle part* au *partout* et très tôt, j'ai ressenti comme un privilège de n'avoir aucune émotion pour chacun des hymnes nationaux. »

Lorsqu'il parlait, je pensais sans cesse : mon cher Walser, mon cher et tendre ami, quelle chance j'ai eue de vous avoir durant ces derniers mois, de pouvoir vous parler sans retenue, sachant que cette bizarre chose que je vivais était incommunicable, et pourtant, jamais vous n'avez ricané de mes déboires et de mon infortune, jamais vous n'avez montré la moindre lassitude lorsque je vous appelais à minuit, à deux heures du matin, pour me confier, entendre votre voix, savoir qu'il y avait une personne au monde avec laquelle je pouvais ne pas avoir de rôle à tenir, et me contenter de répondre que ça allait, lorsqu'elle vous *dit* – pas lorsqu'elle vous *demande* – comment ça va. Vous êtes l'ami impeccable à qui je répondais que ça n'allait pas, que tout m'était devenu opaque... Alors que tous les autres se taisaient ou s'amusaient de moi, qu'ils reprenaient leurs distances en ne m'appelant plus, vous n'avez pas faibli dans votre constante affection, partageant avec moi l'étrange secret d'une liaison que chacun condamnait – vous y compris – tout en continuant à en recevoir les informations aberrantes. Ce fut plus qu'une présence, car elle permit que se fasse l'alliance entre mes mots et l'indicible, entre ma folie et le reste du monde qui était là, à me regarder... Je vis, je respire, vous êtes à mes côtés dans cet infini de neige. Comment vous exprimer cela ? Je vous l'écrirai un jour, pour que vous sachiez bien qu'il n'y a jamais rien d'inutile... Que les couloirs dérobés où se jouent les amours et se nouent les amitiés ramènent forcément à la lumière, afin que chacun puisse reconnaître l'élégance de ceux qui ont su, en silence, écouter.

3

La neige toujours.

Face à mon *Powerbook*, aux montagnes et un roman à écrire, j'ai l'impression d'avoir une truelle en main, quelques pierres, le projet étant de bâtir une cathédrale. Par où commencer, où trouver l'endroit où poser la pierre, puis l'autre, et voir un début de mur s'élever ? Je fixe mon attention. J'écris au stylo des bribes, des phrases, quelques fulgurances. Flashs. Son visage. Irène est partout. Je la chasse. Méthode Coué : cette histoire est terminée, elle n'a même pas existé...

Son corps que je ne peux imaginer dans aucun lieu est dispersé dans l'univers comme les cendres d'une défunte. Je ne parviens pas à la voir, ni devant une tasse de café, ni au sortir d'une voiture, elle est une série de points que je ne peux rassembler...

Je rejette toute image passée. Ne pas tomber dans le regret ou la nostalgie, mais s'enfermer dans le temps d'aujourd'hui, ou alors ne récapituler que les nuisances... Rester ferme là-dessus ! Les nuisances d'Irène... Elle ne m'a pas épargné. Penser continuellement à cela, elle ne m'a pas aimé, ni rêvé, elle a passé quelques mois en ma compagnie comme avec un passager imposé avec qui on a un voyage à faire.

Tout à l'heure Walser me demandera si j'ai commencé quelque chose, lui sortir une vieille histoire, ou inventer sur-le-champ un scénario... « C'est l'histoire d'un homme qui ne sait pas aimer, qui flirte avec les femmes, fait comme s'il les aimait, et qui... » Pourtant ce ne peut être l'orgueil qui m'a empêché de lui dire que je l'aimais. Je n'en ai eu aucun pour accepter ses vilenies que d'autres auraient aussitôt balayées pour s'enfuir dans la première station orbitale venue. Pourquoi en aurais-je eu au moment de me déclarer?

Oublier, ne pas penser, se fixer ici, dans ce lieu et ne pas laisser la mémoire en errance, la circonscrire dans ces quatre murs comme un prisonnier qui n'a aucun choix. S'émerveiller d'une beauté de nature offerte, se dire que le monde est immense et que des Irène, il y en a dans tous les aéroports du monde, et de plus, douces, intelligentes, qui sentent le jasmin, l'opoponax, le gardénia, qui ont de merveilleux sourires, qui envoient des télégrammes d'amour, qui inventent et écrivent des pages de poèmes pour tenter de raconter une seule de leurs jouissances à l'homme qu'elles aiment. Lui dire : c'était un éclair, une lumière folle, de l'électricité, un début d'univers, une apesanteur...

La nuit tombe déjà et l'écran géant des monts enneigés s'obscurcit. Je retrouve celui plus étroit de mon ordinateur. J'écris pour une femme à venir...

Vous auriez dû arriver plus tôt. Il y a un siècle, juste après ma naissance, lorsque je regardais les brassards des communiants.

Je vous attends depuis longtemps parce que je sais que vous existez, dans l'air, sur la terre, que vous voyagez au bord des précipices, là où les larmes s'arrêtent. Peut-être y a-t-il du pollen qui tourbillonne autour de votre tête ou alors est-ce le bruit d'un avion qui décolle et vous fait mettre la main sur une oreille.

La chaîne que vous portez autour de votre cou vous

pèse. Elle est un souvenir ancien et vous n'osez pas la retirer pour la poser sur un écrin qui n'est plus le sien. Les bijoux ont des histoires et votre histoire ancienne ne vous mène nulle part, sinon à l'intérieur de vous, pour détériorer votre beauté.

4

C'est une désespérance lorsqu'une femme ne sait plus que fabriquer du silence et inventer la nuit autour de vous. Les *Marseillaise* entendues, le scintillement des étoiles, les bars enfumés, et même Charlie Parker disparaissent de l'univers comme si le monde était redevenu blanc, avec une seule ombre, celle maléfique d'une mémoire envahie par un lieu de désert où l'oasis imaginée n'est qu'un amas d'arbres calcinés. Rire est difficile, respirer et vivre sont difficiles. Les revolvers défilent comme des papillons noirs et se collent aux tempes, à l'occiput pour que tout cela, la machine à mémoire, vole en éclats, que la cendre redevienne cendre, que la pensée se dissolve, que le souvenir s'adoucisse et redevienne un joli sucre d'orge d'enfance.

Alors, on sait qu'il va y avoir des ponts et des aqueducs à franchir pour changer de pays et sortir de celui des silences, pour retrouver le fracas, l'impudeur, l'envie de se goinfrer de lèvres, de seins, de hanches, et découvrir, enfoui, au cœur des ténèbres, le trésor d'un visage inconnu, l'éblouissante promesse de mots à entendre, de caresses à prendre, une haleine qui viendra effleurer les jambes, puis le corps tout entier.

Sentir à nouveau un souffle, celui de la douceur des choses, qui vous réapprend à être un point infime et immense au carrefour du vivant et des songes.

5

Gin-tonic et flammes de cheminée.

« Vous avez pensé à elle, n'est-ce pas...

– Je suis désolé d'avoir à vous répondre que oui... Mais, rassurez-vous Walser, je termine cette histoire. Chaque seconde est un pas vers l'oubli. »

Nous sommes seuls dans la salle de restaurant, une nappe à petits carreaux rouges et blancs dresse l'unique table de la soirée. De pâles lumières intimisent le lieu et Hélène, une des deux filles qui tiennent l'hôtel, vient nous proposer le menu du soir. « ... Moi aussi, j'ai pensé à elle, continue Walser. Ça vous étonne? »

Ça ne m'étonnait pas. Walser avait toujours été fasciné par le personnage d'Irène. « Elle est ce qu'on n'a jamais vu », disait-il. Même le ton de la voix d'Irène dans les messages qu'elle me laissait sur mon répondeur avait un jour stupéfié Walser. « On dirait une comédienne qui parle faux. Je penserai à vous garder les messages de Mathilde. Vous verrez la différence... Lorsqu'elle dit simplement "bonjour c'est moi", c'est en soi une déclaration d'amour. En plus d'une phrase, il y a une émotion, une tendresse, non pas dissimulées, mais enfermées dans les mots les plus ordinaires : parce que *c'est à moi qu'elle parle* et à personne d'autre. Irène s'adresse à vous comme si vous étiez un ami ou un étranger... »

Il y avait un mois que l'on s'était quitté, et Walser me fit remarquer qu'elle planait autour de nous et de nos pensées comme le souvenir d'une catastrophe que des rescapés portent ensemble. Ils veulent encore et encore parler de ce qui leur est arrivé, s'attarder sur une peur, une souffrance communes, impossibles à partager avec d'autres. « Ce qu'il y a d'étrange, me dit Walser, c'est que je n'ai vu Irène qu'une seule fois, le jour de votre rencontre, et pourtant j'ai la sensation qu'elle a vécu entre vous et moi, tant elle fut présente dans toutes nos conversations. Elle fut un labyrinthe dont nous avons tenté de trouver quelques-uns des itinéraires. Sans succès. Objectivement, ce n'était pas quelqu'un de bien, vous en convenez ? »

Je ne répondis pas.

Il poursuivit. « Il y a quelque chose qui ressemble à un acharnement de votre part : avoir voulu, à tout prix, faire en sorte que cette histoire existe. Souvent, j'ai eu le sentiment que vous espériez sauver Irène d'une trajectoire fatale qu'elle avait commencé, dès l'adolescence, à se tracer...

– J'ai eu simplement envie de partager, Walser. Et ce désir ne m'était jamais apparu ni aussi absolu, ni déterminé pour une autre personne qu'Irène. J'ai désiré qu'elle profite de ce que je savais, de ce que je possédais, et surtout de ce que je ressentais. Ressentir se partage, comme l'argent et les connaissances.

– Mais vous avez eu beau verser dans l'amphore Irène des sentiments, des voitures, du sexe, du temps, de l'argent, des voyages, de l'attention, tout s'est écoulé et enfui à l'instant même où vous la remplissiez... Et vous auriez pu continuer ainsi, sans voir poindre la moindre marque particulière d'émotion à votre égard... »

Je rectifiai : « Je ne lui ai jamais dit que je tenais à

elle, ni combien elle était importante dans ma vie. Je n'ai pas déversé, comme vous dites, des mots d'amour en quantité, je les ai gardés, parce que la singularité même d'Irène me rendait muet. Tout comme vous, je n'avais jamais, de ma vie, rencontré un être aussi atypique et étranger à tout ce qui m'était familier. »

Alors qu'une de nos hôtesses venait d'apporter une omelette aux pommes de terre pour au moins quatre personnes, Walser alimenta notre feu et il s'ensuivit un crépitement qui nous fit reculer vers la table. Je demandai s'il était possible d'avoir du Tabasco. « Vous ne connaissez pas l'omelette paysanne au Tabasco ? demandai-je à Walser, feignant le mépris, mais c'est Jimi Hendrix qui joue à la chapelle Sixtine ! »

En s'installant pour le dîner, Walser dit : « Je ne sais pas si c'est vous ou elle qui m'avez le plus étonné. Un moment j'ai cru que vous vous étiez abandonné. Quelqu'un qui aurait laissé son âme au bord d'un chemin pour continuer de vivre sans elle. »

6 / Harmonie.

J'avais cru en arrivant que, plus le temps passerait, plus les choses iraient en s'estompant, que le souvenir d'Irène s'évanouirait dans le ciel et l'espace, à la manière de son corps, que je ne parvenais à imaginer nulle part. C'est le contraire qui se produisit. Je me réveillai deux nuits consécutives, en sueur, en plein rêve avec Irène à mes côtés, rassuré... Puis la brutalité d'un réveil, un décor que je n'identifiais pas aussitôt et qui me ramenait, à la seconde, à la réalité d'une Irène disparue.

Une semaine s'écoula de cette manière. Je profitais chaque matin des longues balades que je faisais avec Walser comme un convalescent qui part s'oxygéner au grand air et je tentais, à chaque fois, de prendre des résolutions définitives : respire, prends le meilleur de la vie, oublie cette histoire où tu t'es empêtré entre sordide et médiocrité !

L'air s'était adouci et la glace avait fondu sur les chemins. Mais la neige tenait bon tout autour, sur les prés et les flancs des montagnes. « Rappelez-vous, lorsque Justine fut partie, votre mémoire n'était encombrée que de bonnes et douces choses. Vous n'aviez à vivre qu'un regret, celui d'un bien-être révolu. Là, votre mémoire ne peut que retenir l'image d'un personnage, fascinant certes, mais sans consistance, préoccupé plus par l'immédiateté et ses désirs au jour le jour que par vous. Dites-moi la seule image de bien-être qui vous vient d'elle, là, à cette seconde, sans réfléchir ! »

Je revis immédiatement Irène nageant dans la piscine du Pyla.

« Je l'avais regardée tout un après-midi, plonger, sortir de l'eau et aussitôt rejeter ses cheveux en arrière, s'enfoncer à nouveau, droite, pour ressortir quelques mètres plus loin, replier son corps, le déplier, le faire tourner, décrire des mouvements d'une grande souplesse, de grâce et de beauté. Elle était nue et heureuse, vraiment heureuse. Et moi, comme un tableau ou un bijou qu'il me serait donné de contempler, je la trouvais parfaite. Hors de la vie et du temps, dans son écrin, avec l'eau bleue tout autour, elle était l'union réussie du mouvement, d'un corps et d'une couleur. Cette *harmonie* m'a beaucoup troublé et ressemblait justement à ce à quoi j'assistais en secret dans nos jeux amoureux. Mais là, devant la piscine, elle était détachée de moi, et je devenais le spectateur médusé, en toute lumière, de ma partenaire d'amour. »

7 / Amour.

Nous respections les horaires prévus. Walser avançait dans son travail sur Hölderlin et lorsque je passais le prendre dans sa chambre pour aller dîner, je voyais des feuilles éparpillées sur le lit, par terre, sur le bureau, qui me rendaient jaloux. Moi j'avançais dans la confusion, avec le trouble en tête et le mal au ventre. Finalement, après quatre jours, nos promenades, nos déjeuners, nos séances cheminées pré-dîner, le dîner, les séances cheminées post-dîner qui souvent s'achevaient tard dans la nuit, finirent par ne tourner plus qu'autour d'un seul sujet : Irène. Walser se prêtait d'autant plus volontiers à ce dialogue que le personnage le fascinait, en négatif, mais le fascinait.

Ce soir-là, soirée cheminée, havane en bouche. Walser semble tendu. Rien au début ne révéla un quelconque énervement de sa part. Je sentis pourtant une distance se créer et m'aperçus vite qu'il voulait en finir avec Irène. Il me provoqua à sa manière : le mot qui fait mal, puis explication de texte, je te fais sortir de ta réserve, tu dis ce que tu n'as pas encore dit et moi, Walser, je conclus.

« En fait, me dit-il, après avoir tiré quelques bouffées de son *Partagas* (8-9-8), on pourrait consacrer un essai à votre absurde histoire qui s'intitulerait : *La bécasse et l'harmonie.* »

Je détestais qu'il emploie des mots de ce genre à propos d'Irène, cela me blessait, mais je ne réagis pas.

« ... La différence entre une œuvre d'art et une personne, dit-il, c'est que cette dernière parle, agit et éventuellement, trahit. L'œuvre d'art porte en elle une harmonie qui nous capture, nous émeut, nous transporte dans une autre réalité, mais nous ne couchons pas avec Mona Lisa ou la Zéphora de Botticelli ! Seuls nos regards vivent quelques instants avec elles et tout s'arrête là. Vous, vous avez voulu que ce que vos yeux vous donnaient à voir, le visage d'Irène, le corps d'Irène, Irène dans la piscine, correspondent à l'intérieur d'Irène qui forcément vous était caché. Et malgré ce que vous y découvriez, vous vous êtes obstiné, voulant absolument qu'à une harmonie extérieure qui vous ravissait une semblable harmonie intérieure parachève votre utopie. Parenthèse : Utopie, mot introduit par Rabelais en 1532. Nom propre d'un *pays imaginaire*. Et si l'on reprend l'étymologie grecque, utopie signifie, *en aucun lieu*. Irène fut votre utopie, l'image inventée par vous pour une personne située nulle part. »

Je laissai Walser se délecter de son analyse, apprécier son cigare, la musique de la cheminée et les lumières mouvantes des flammes que l'obscurité de la salle à manger rendait parfois inquiétantes. Les deux hôtesses des lieux étaient parties se coucher et, à cette heure de la nuit, nous étions seuls dans l'hôtel. Malgré mes efforts, il fallait me rendre à cette évidence : je n'étais pas parvenu à rejeter Irène hors de ma mémoire ni à la détester. Elle était là, infiniment présente, cruelle, me torturant sans cesse pour les mots que je ne lui avais pas offerts, l'avenir que je n'avais pas su lui dessiner, son mystère enfin, que je n'étais pas parvenu à mélanger au mien pour en faire une existence à partager à deux.

« A l'instant où je vous parle Walser, cette femme est tout entière dans ma peau. Ses cuisses, son corps, son parfum, occupent l'espace de mes rêves et c'est elle, cette "bécasse" comme vous dites, capable effectivement d'annoncer que *la Chartreuse de Parme* est une marque de liqueur, qui me manque terriblement. Dites-vous bien qu'elle fait l'amour divinement, qu'elle est intuitive, qu'elle devine, imagine, pressent, qu'elle sait, sans jamais les avoir appris, une infinité de gestes et vous apporte sur un plateau tout ce que votre sensualité réclamait depuis vos premiers émois... Ajoutez à cela que je me sens frustré d'une histoire en devenir que j'ai laissée mourir, coupable encore de ne lui avoir pas dit les mots d'amour, l'exaltation que je rêvais de me voir offrir à une femme, triste enfin de ne pas l'avoir rassurée, sur le temps à venir, et de la laisser se débrouiller seule avec cette histoire, aussi extravagante pour elle que pour moi... »

Walser demeura silencieux. Puis il reprit la parole pour cadencer chaque mot au rythme des bouffées de son havane.

« Vous l'aimez cette femme ! Vous l'aimez ! Et savez-vous pourquoi vous n'écrivez rien ? Parce que la passion ne laisse aucune place à l'écriture... »

Moi ? aimer Irène... Je me lançai dans une ultime plaidoirie... « Pour moi, Walser, l'amour est l'histoire de deux intériorités qui trouvent les moyens d'inventorier le monde, sans avoir recours aux mots, dis-je embarrassé. J'ai toujours pensé que l'amour était un discours des corps et un dialogue de l'esprit, l'un racontant sa part de monde, l'autre, le reste caché de ce même monde, pour que cette rencontre de deux êtres tienne lieu d'univers et fabrique une cosmogonie amoureuse à espace et temps complets. Et Irène n'était pas cette perfection... »

Walser haussa le ton... « L'amour, ce n'est pas une histoire de perfection, c'est brut de décoffrage, une forme imparfaite boursouflée de scories. Irène est immature et vous, un adolescent. Toute votre vie, vous vous êtes inventé des images de l'amour qui n'existent pas. Et elles n'existent pas parce que l'amour ce n'est pas *a priori*, c'est *live*, vivant, immensément présent. Ça n'a rien d'une balade romantique, c'est offrir et travailler. Travailler sur soi, sur l'autre, sur l'affrontement de deux mondes que le hasard et quelques affinités ont curieusement réunis. Offrir et s'offrir, car la quête dans laquelle on est lancé est sans solution. L'amour est l'histoire de ce parcours qui part d'un mystère pour parvenir, une éternité plus tard, au même mystère : irrésolu. Vous n'avez eu qu'un tort, vouloir à tout prix percer ce mystère. Vivez avec lui, à la fois comme le don le plus extravagant que puisse vous offrir l'existence, et l'éblouissant désastre auquel il conduit.

– Et c'est vous qui me dites ça ! Walser. Alors qu'il y a un instant, vous parliez d'une bécasse et de mon utopie...

– Parce que je viens de découvrir une chose simple, évidente et émouvante : vous aimez cette fille comme vous n'avez jamais aimé personne, et ce, depuis le jour où vous l'avez rencontrée. Mais vous n'avez eu de cesse de vous combattre, croyant sortir vainqueur d'une confrontation qui vous dépassait, et pour vous inédite, pour lui faire subir le sort de vos amours précédentes, parvenir à ce qu'aucune d'elles n'entame le narcissisme qui vous fit devenir ce que vous êtes et faire ce que vous avez fait. »

Je parvins à sourire : « Alors, grâce à Irène la bienheureuse, je serais passé de Narcisse à saint Martin, soudain rempli de compassion pour les faibles...

– Non, c'est vous que vous avez trouvé en Irène. »

8

La neige a fondu lorsque nous quittons notre refuge. Dans le TGV qui nous ramène, je décide d'écrire une lettre à Irène. Walser n'en saura rien.

« Ne ferait-elle pas partie de ces gens, me dit-il, à qui il faut sans cesse des ruptures, des empoignades et qui, lorsque tout va bien, cherchent le détail noir qui fera qu'un ensemble globalement agréable, éclairé sous ce seul angle, devienne subitement désastreux...

– Il y aura beaucoup de choses à régler, Walser ! Parler, surtout. Qu'elle apprenne, que nous apprenions à énoncer les choses qui font mal, au moment où elles font mal.

– Cela prend du temps et exige de la patience, dit-il. Y êtes-vous préparé ?

– On n'est jamais préparé à rien de ce que fait surgir la vie... En revanche, je suis certain de vouloir corriger un ratage monumental avec elle, et cette fois, nous donner un maximum de chances pour que cette histoire se poursuive jusqu'à son terme, c'est-à-dire dans longtemps. »

Temps maussade et gris à Paris. A peine chez moi, j'écris la lettre pour Irène et en profite pour lui communiquer mes nouvelles lignes de fax et téléphone. Je ressors dans la nuit pour aller jeter mon message amoureux dans une poste et gagner ainsi quelques heures sur les boîtes jaunes de quartier. Mon geste accompli, une panique m'étreint. Me revoilà dans la position de celui qui va attendre, descendre plus tôt que d'habitude chercher le courrier, et surtout, tourner autour du téléphone, sortir pour ne pas s'abrutir, puis revenir anxieux, regarder le nombre de messages sur le répondeur, cinq, il y en a au moins un qui émane d'elle... Ecoute : un, deux, les chances s'amenuisent, trois, quatre. Suspendre l'écoute un instant pour ne pas être K.O. trop vite, cinq. Rien.

Détester encore ceux qui ont appelé et m'avoir donné ainsi l'illusion qu'elle pouvait être l'un d'eux.

9

Et si, à cette heure, Irène était sur une plage de soleil, loin de tout, à l'intérieur de sa nouvelle histoire en train de dire : « Tu sais, je l'ai aimé un moment, et puis, nous étions dans deux mondes trop différents... C'est mieux ainsi ! »

Mais Irène, le *passionnant* de la vie, c'est l'invention des passerelles entre les gens et entre les mondes. C'est le travail, depuis des milliers d'années, de tous les hommes qui ont tenté de communiquer leur *passion,* des poètes, des géomètres, des physiciens, pour rendre l'invisible visible à ceux qui n'avaient ni le temps, ni les moyens de le trouver par eux-mêmes. Toi qui aimes tant brûler des cierges dans les églises, dis-moi quelle stupéfiante passerelle une poignée d'illuminés ont inventée il y a mille neuf cent quatre-vingt-quinze ans ? Le Christ, ma belle, le divin trait d'union entre Dieu et les hommes. Qui dit mieux ?

10

Une semaine passa. Une presque-éternité. Nous étions fin janvier et Irène n'avait pas donné signe de vie. J'étais à nouveau la sentinelle à temps plein de mon répondeur, de mon télécopieur, de ma boîte aux lettres. Lorsque je regardais un film à la télévision et qu'une sonnerie retentissait, je me précipitais pour voir si mon fax s'était mis en route, le répondeur peut-être... Non, ce n'était qu'un bruitage de film.

Et si je me trompais, que j'attende pour rien, qu'elle ait définitivement quitté le nulle part de notre histoire pour un nulle part bis, ailleurs dans sa jungle personnelle, ses glaciers polaires, ses volcans...

Je vais l'aimer cette fille, le lui dire, la couvrir de mots, inventer avec elle une histoire présente et une histoire à venir, la rassurer pour l'apaiser enfin, qu'elle découvre que la fuite en avant est épuisante, lui apprendre que le temps n'est pas un ennemi, que l'amour c'est maintenant, calmer ses impatiences adolescentes, qu'enfin elle échange ses pensées basses pour des pensées hautes...

11

Sonnerie du fax. Je regarde le papier se dévider, une chouette dessinée apparaît. Le migrateur Vladimir est de retour. « J'ai beau représenter la raison, dit la bulle sortant du bec de l'oiseau, mais les choses sourdes du monde l'ont emporté. »

Je donnai rendez-vous à Vladimir sur la ligne du méridien de Paris qui passe exactement boulevard Saint-Germain, à hauteur du 154, entre une cabine téléphonique et le café *Old Navy*. Là, sur une plaque de laiton fichée dans le goudron du trottoir est gravé le nom d'Arago (l'homme qui, il y a un siècle, a donné le tracé exact du méridien) avec un N au-dessus du nom pour indiquer le nord, et un S au-dessous pour le sud.

J'arrivai légèrement en retard, ayant rencontré inopportunément dans la rue un clochard ami, Simon, avec qui je m'étais attardé. Il avait ouvert sa veste et montré une plaie à l'épaule. « Regarde, me dit-il, c'est moche... Approche-toi, ça sent la mort ! » En effet, ça sentait autre chose que la vie. « Il faut que tu ailles te faire soigner tout de suite, lui dis-je, c'est urgent, ça doit être ça l'odeur de la gangrène... » Il refusa mollement : « C'est curieux ce goût que j'ai de me laisser briser. Je n'ose pas mourir, pourtant je laisse faire tout ce qui me conduit à cela. – En attendant, lui dis-je, c'est moi qui vais te conduire au dispensaire de la rue Garancière. »

Au *point Arago*, je vis que Vladimir n'était pas seul. A ses côtés une femme en manteau léopard, maquillée, portant des lunettes fumées. Présentations. « C'est

Roberta, l'orgueilleuse de Phoenix, Arizona, vous vous souvenez ? » Je me souvenais.

Roberta, mexicaine, parlait français convenablement avec un joli accent. « On ne s'est pas quittés depuis le printemps dernier, me dit-il. Je vous avais dit que l'amour ça durait longtemps. » Roberta se mit à rire : « Il croit encore que je n'ai pensé qu'à lui pendant quinze ans, c'est faux, lorsque le médecin m'a dit, vous avez un cancer, je me suis dit, puisque tu vas mourir, quel visage voudrais-tu à tes côtés lorsque la mort viendra te prendre. Ce fut aussitôt une évidence, Anton Vladimir. Et pas un autre... Vous voyez, il est venu, et je suis vivante. C'est ma dernière vengeance ! »

Nous sommes entrés au *Old Navy*. Ils dévidèrent le long rouleau de leurs voyages, Acapulco, les îles Fidji, Las Vegas, Prague, Moscou et Lausanne. « C'est là que nous nous sommes connus après la guerre, dans les années cinquante, j'étais infirmière et lui voulait faire du cinéma. Réaliser. Plus tard, à Paris, nous sommes devenus amants et il m'a raconté ainsi ce qu'allait être son premier film... *C'est l'histoire d'un homme marqué par une image d'enfance. La scène qui le troubla par sa violence, et dont il ne devait comprendre que beaucoup plus tard la signification, eut lieu sur la grande jetée d'Orly, quelques années plus tard avant le début de la troisième guerre mondiale...* Excitant non, pour une première nuit d'amour ! Je n'ai jamais pu l'oublier. »

« Vous êtes pâle et amaigri, me dit Vladimir pour couper court aux souvenirs qu'ils avaient dû évoquer durant des mois, prenant dans le même temps la main de Roberta dans la sienne. Je n'aime pas vous sentir dans cette situation de dépendance. Allez courir les filles, appelez-les, encensez-les... Dans le capharnaüm qui nous étreint, où chacun raconte son éjaculation précoce devant une caméra, glissez-vous dans les espaces de silence et *légendez* la planète de vos amours, de vos cris, de vos écrits. *Légender*, c'est prendre le risque de la parole et raconter sa propre histoire enchevêtrée dans celle des autres. C'est devenir un peuple avec une mémoire, et ne pas rester mêlé à ceux qui *attendent* leur passé. Apprendre enfin à se caler sur la vitesse du monde pour n'être jamais dépassé par le jour, par les étoiles de la nuit et la lumière du matin. Que chaque seconde se remplisse du seul pouvoir que l'on possède : ne pas savoir mourir ! »

Nous finissons nos verres. Avant de nous lever, Vladimir ajoute : « Je ne voulais vous l'annoncer que ce soir, au moment de nous quitter, mais je ne peux plus attendre : retenez votre soirée du 16 mars, Roberta et moi, nous nous marions ! » Il est heureux de sa surprise et Roberta, qui voit l'étonnement sur mon visage, se met à rire.

Elle demanda si on passait à *La Rhumerie* avant d'aller dîner, ou si on finissait par là. Vladimir l'embrassa et lui dit que, lui, il n'avait jamais cessé de penser à elle, où qu'il se trouve, car partout dans le monde, il pleut, et que son rire ressemblait à la pluie.

12

« Je vois une poupée et une femme, belle, à côté qui la regarde et lui caresse les cheveux... Je vois ensuite un jouet, c'est la poupée, la même, mais dont les habits de satin ont été enlevés, des hommes sont là, c'est une fête foraine, il y a des chevaux qui se cabrent, et les hommes tendent les mains pour gagner le jouet, l'un d'eux l'emporte. Un cheval alors se détache, l'homme court pour s'enfuir, il tombe et le cheval vient lui briser le poignet avec un de ses sabots... Le jouet reste dans la boue... »

Madame Bettencourt s'interrompt. « Ce n'est pas facile avec ce que vous m'avez apporté, de voir dans le passé de cette fille ! – Je regrette, c'est tout ce qui me reste d'elle », dis-je à la voyante en reprenant un soutien-gorge et une barrette à cheveux pour les remettre dans une pochette en feutre. « Mais, est-ce qu'il faut que je l'attende ? lui demandai-je avant de la quitter.

– Vous savez, j'ai déjà beaucoup de mal avec le passé... Quant à l'avenir, je ne m'y aventure guère, soixante-quinze pour cent d'erreur... Tous les bons médiums devraient oser le dire. A mon avis, elle ne reviendra pas ! Appelez sa mère, parlez avec elle... »

Je quittai madame Bettencourt avec le quart de certitude dont je disposais, et cela me suffisait.

13

Ni appel. Ni lettre. Ni fax. Ni télégramme. Soleil noir...

J'augmentai les doses d'anxiolytiques. Je m'asphyxiais. Walser était décontenancé, lui aussi. « Si elle était dans le même état de manque que vous, elle n'aurait pas appelé mais serait accourue, aurait monté les escaliers quatre à quatre pour se laisser mourir dans vos bras. C'est comme ça dans les films... Dans la vie aussi, parfois ! »

Je décidai de passer une matinée à Roissy-Charles de Gaulle, et un après-midi à Orly. Alex, le chauffeur camerounais que j'aimais employer, me conduisit au premier aéroport. Il semblait écœuré : « Maintenant, les gens n'ont même plus de retenue, ils disent en montant dans la voiture, ça sent drôlement le nègre ici... Certains descendent, d'autres baissent carrément les vitres. C'est de la provoc, non ? » Moi, je n'avais rien dit, mais ça sentait drôlement la sueur dans le taxi d'Alex.

Dans un aéroport, les hôtesses qui y déambulent sont rarement seules, elles marchent par petits groupes, rient beaucoup et semblent s'amuser d'un rien. Elles ont un gabarit, une manière de marcher, de tirer nonchalamment sur des sacs de voyage à roulettes qui se ressemblent. On sent bien qu'elles sont chez elles dans ces vastes non-lieux de verre et de béton que personne n'habite, où l'on passe, sans trace, où l'on pense toujours à un autre lieu que celui où l'on se trouve, une ville, un visage qui attend à l'autre bout du monde. Peut-être sont-elles, elles aussi, des non-personnes, faisant mine d'exister entre deux hôtels, entre des villes virtuelles où elles ne font que poser les pieds pour lire sur un panneau d'affichage qu'elles sont bien ici et pas ailleurs. Sans cet indicateur, elles se seraient contentées de dire : on est dans un aéroport... Une extraterritorialité de rêves, de sentiments, de projets où il n'y a qu'un seul avenir immédiat, celui de le quitter.

Plusieurs fois, je crus reconnaître Irène et me levai pour courir vers elle, mais c'était une fausse Irène, une Irène bis, une Irène lambda.

J'annulai mon après-midi à Orly.

14

Paradoxe. Je suis amoureux d'une Irène qui se tait. Peut-être ne reviendra-t-elle jamais et je pense à Angéla. C'est un jeu avec la vie. Je referme la case *amour* et ouvre la case *peut-être*. Voyons Angéla...

Est-elle blessée, vexée par mon attitude ? Je l'appelle à son bureau, puis dans sa voiture. Réseau *GSM Itinéris*, c'est elle qui répond. Elle montre aussitôt son plaisir de m'entendre et demande, sans aucune allusion au premier soir, quand on peut se revoir. Nous fixons une date pour un dîner. « Je passerai te prendre... »

Au moins, avec elle, les choses vont vite...

Le soir dit, à l'heure exacte, la voiture noire ralentit devant chez moi. Angéla porte une robe noire en velours lisse, un collier de perles, des talons. « Où allons-nous ? – Surprise », répond-elle.

Paris défile derrière les vitres fumées, Palais-Royal, Opéra, place Vendôme. Le *Ritz*. Pensées attendries pour Scott et Zelda... « Pas mal ! Je n'y aurais pas songé, lui dis-je. – C'est normal que moi j'y pense, c'est ici que j'habite. »

Une fois dans la rue, foulant le tapis qui conduit à l'hôtel, je me regardai marcher aux côtés d'Angéla et pensai que j'avais bien fait de délaisser mon blouson de cuir habituel pour veste, chemise, cravate, tout en ayant eu bien soin de garder mes boots noires. « On va dîner au club, c'est privé, mais décontracté. »

Cheminée, ambiance feutrée, des coupes de champagne nous sont offertes, une fois installés dans deux confortables fauteuils en cuir du salon. « Quoi ? » dit souvent Angéla lorsqu'il y a un début de silence entre nous. Je ne me sentais pas très à l'aise, elle me regarde. Elle devine tout.

Pendant le dîner, elle me parla de l'Iran, son pays maternel, me fit savoir qu'elle avait pris le soin de lire tous mes livres et me demanda si j'écrivais en ce moment. Sans parler d'Irène, je lui avouai que j'étais plutôt en train de chercher que de trouver, mais que c'était une des séductions de l'existence d'être parfois contrarié par les réalités. « Les réalités ou les images que l'on se fait d'elles ? » demanda-t-elle.

Le dîner terminé, pour quelques minutes encore, je confiai au hasard le soin de laisser les choses se dérouler à leur guise et nous arpentons les longs couloirs aux tapis vert et or, pour nous rendre par l'ascenseur, dans son appartement.

Je n'avais jamais vu la place Vendôme, de nuit et sous cet angle. De plus, une pluie fine s'est mise à tomber et il y a de la magie dans cet instant où je regarde un joyau d'architecture depuis un lieu que je découvre, avec, à mes côtés, une jeune femme qui vient de me prendre la main.

Une soudaine mélancolie m'envahit. Je me sens fatigué, triste, et j'ai l'impression de trahir, non pas Irène, mais Angéla, en lui ayant donné l'illusion que je pouvais justement me trouver avec elle dans cette situation, et d'avoir, maintenant, à la refuser. L'élégance aurait dû m'imposer de faire ce choix avant. Irène est déjà présente, elle est là, tendre voix maladive qui dit, « c'est moi que tu aimes, petit prince ». Je découvre à l'épreuve des faits, combien – même absente – elle a rendu exclusif mon désir et anéanti les autres femmes, puisqu'elle a réussi à les remplacer toutes, et qu'à cet instant, c'est elle que je désire.

Une fois encore, Angéla devine. Elle a retiré sa main et demande pour faire diversion, mais en fixant mon regard, si je veux boire quelque chose. Je lui réponds que non et que je vais partir. Elle retire ses yeux de mon visage et face à la fenêtre, me dit : « J'avais aussi prévu cela ! Le chauffeur t'attend pour te conduire à l'endroit de ton choix. »

15

J'envoie des roses à Irène.
On est à la mi-février.

La fille de l'air
ne manque pas d'air
elle s'envoie des grands verres
d'atmosphère
Elle roule les hélices
Entre ses cuisses...

Ne crains rien mon bel amour je te protégerai, je serai encore et encore ton amant, nous ferons le tour des mondes et des quatre océans, cinq continents seulement, pour un début ça suffira, nous prendrons les jets et les trains, les caravanes et les tilburys, et sur les autoroutes de la planète *je te raconterai l'histoire de ce roi mort de n'avoir pas pu te rencontrer*, c'est à toi que j'offrirai la clé des secrets, celle qui ouvre les portes dissimulées de trois lieux mystérieux, d'où tu pourras, d'un seul coup d'œil, voir les banquises et les archanges, la fenaison et le toit du monde, l'idéogramme insensé qui raconte la première seconde de l'univers, et lorsque nous serons fatigués de tant de visions et d'étrangetés, tu regarderas une fois encore le ciel pour voir la nébuleuse de l'Aigle, à sept mille années-lumière de chez nous, là où naissent les étoiles, à l'intérieur d'immenses trompes de nuages, nommées *larmes cosmiques...*

16

Au matin encore endormi d'un dimanche, ce n'était pas un rêve, Irène appela. Elle dit : « C'était long sans toi... »

J'eus aussitôt le sentiment que tout un pan brisé de tourments, de misère, de solitude, de frustration, venait de disparaître des registres du monde. Qu'allaient à nouveau resurgir le partage, l'offrande et le don. Le plaisir aussi. Que les allées des squares allaient entendre le bruit frêle de nos semelles sur les graviers, la musique amoureuse des petits pas où se mêlent les stations-baisers, les mains serrées, les bras autour de la taille. Qu'allaient encore se dessiner à la surface de la terre les arabesques de nos mouvements, la forme à quatre mains et deux visages, ceux d'Irène et les miens, pour devenir une seule silhouette où deux corps serrés s'abritent des orages sous un même parapluie.

Je nous voyais, nous envisageais, nous prévoyais.

Au timbre de sa voix retrouvée, l'univers étriqué de mon cauchemar se transformait en une citadelle des songes, un monde redevenu multiple, alors que pour un seul visage perdu, je l'avais réduit à un unique prénom.

Je dis à Irène, on se voit ce soir ? demain ? Non, elle avait une otite et promis des visites à des amis. Lesquels ? Quelles personnes étaient plus importantes que moi, à cet instant ? « Tu n'as pas changé, tu es toujours aussi curieux », dit-elle.

17

Nous avons rendez-vous le 1er mars à 21 h, chez moi. 21 h 05, sonnerie. Pour un retour à l'amour, Irène n'a que cinq minutes de retard. Interphone : c'est moi. La voix d'Irène à quelques mètres... J'ouvre la porte d'entrée de l'immeuble, je l'entends, elle monte les escaliers. Ses pas. Une mélodie oubliée. Compte à rebours, dans quelques secondes elle sera là, dans mon appartement, nos murs, les choses vont à nouveau se recouvrir du parfum d'Irène et de ses odeurs. Ses gestes balaieront mon espace, sa voix recouvrira la rumeur de la ville pour remplacer le silence.

La porte que j'avais entrouverte s'écarte. Elle apparaît. Une délivrance. Elle est dans mes bras, je suis dans ses bras, nous nous entrelaçons, l'étreinte dure, sans que les visages se frôlent, il n'y a ni place ni temps pour les lèvres et les bouches, un serrement des corps comme s'il s'agissait de se persuader que les personnes sont entières.

18

A partir de cet instant, tout s'accélère. Les phases d'observation de la première partie de notre histoire sont périmées. Les mots enfin se prononcent, Irène parle. Je parle. L'amour est là, tel un ange gardien attentif, qui veille à ce que ne se répètent pas les ratages précédents afin que deux personnes qui, par mille stratagèmes, ont camouflé leur extrême attirance, osent maintenant la nommer, en jouir et confondre leurs deux existences en une seule.

Confidences, promesses, serments.

Elle dit : je suis venue tourner autour de chez toi, plusieurs fois, je n'avais qu'une seule peur et qu'un seul désir : te rencontrer. Je lui montre les lettres écrites et jamais envoyées. On se jure que l'orgueil ne viendra plus, par les silences qu'il impose, entraver d'éventuelles incompréhensions. Qu'il s'agira d'avancer nus, sans armes ni fausses parures. Dire les choses au moment où elles se présentent. Pour que disparaissent doute et méfiance, je demande à Irène d'extirper le mensonge de son quotidien. Irène me demande de ne pas être arrogant lorsqu'elle ne connaît pas telle ou telle chose : elle veut apprendre, mais avec patience et bienveillance de ma part.

Elle confie encore : j'ai commencé à voir un psychiatre, je me sens double et ne parviens pas à savoir pourquoi je maltraite les gens que j'aime le plus.

Soirée d'aveux, les mots s'extraient des choses et racontent au monde l'histoire des solitudes.

Nuit d'amour à Paris. Jour d'amour à Paris.

Le surlendemain, nous partons vers la côte normande. Sortir de la grande ville et de ses frontières et se donner accès à l'horizon. Nous prenons ma voiture. Au fur et à mesure des kilomètres d'autoroute, le désir s'installe, violent, impossible. Nous nous interdisons de nous arrêter pour jouer intensément avec lui, effleurements à deux cents à l'heure, attente, retenue. La voiture s'érotise du volant à la lunette arrière, l'ourlet supérieur des lèvres d'Irène se transforme, sa bouche devient celle de Lucrèce, sa jupe est relevée, mon sexe la réclame, et l'autoroute qui n'en finit pas...

Le lendemain près du port à marée basse où sont fichés en terre les bateaux, Irène dit : il nous faut un acte qui sanctifie ces instants magiques, un pacte entre toi et moi, secret, parce que tu es l'homme que j'ai choisi. Fiançons-nous ! Surprise. Mais si les mots ont un sens, pourquoi hésiter ? J'accepte.

A présent, je ne suis plus seul pour me rendre au mariage de Roberta et Vladimir, je veux qu'Irène soit encore plus belle et je lui offre un ensemble en crêpe noir, parsemé de minuscules taches rouges et blanches *(Geneviève Tarka)*. Puis deux paires de chaussures, l'une à talons hauts de *Kélian*, l'autre, des bottines à lacets en agneau mat de *Valentino*.

19

Walser me lit les derniers fax arrivés du Japon : « Votre éditeur *Schueisha* a retenu la date du 15 avril pour votre séjour au Japon. Cinq jours de promotion avec conférence de presse, la télévision Asahi, et une prestation à l'université de Todaï, la plus importante de Tokyo. D'autre part, Kenji, votre traducteur demande si vous ne pourriez pas arriver un peu plus tôt, car il aimerait vous faire connaître la maison qu'il loue depuis un an dans un temple bouddhiste. C'est dans cet endroit qu'il a traduit votre roman. A l'est de l'île, au bord de la mer du Japon. Je ne parviens pas à imaginer comment on peut habiter dans un temple, commente Walser, mais si vous y allez, vous me raconterez. »

Irène a une dizaine de jours de congé début avril. Nous avions prévu d'aller voir ses parents à Aix-en-Provence, puis de passer le reste du temps au bord de la Méditerranée. « On va tout chambouler, Walser ! Nous allons partir Irène et moi au Japon dès le début avril, je lui ferai découvrir ce pays de l'extrême politesse que j'adore, nous nous fiancerons là-bas et lorsqu'elle devra revenir pour son travail, je resterai faire le mien. »

Fax à Kenji. Je lui annonce notre arrivée pour le 1er avril et lui demande d'organiser une petite cérémonie dans une maison de thé. « Qu'en pensez-vous Walser ? Se fiancer au pays de l'indicible, de l'harmonie et des dix mille dieux... Il s'en trouvera bien un pour veiller sur nous et faire en sorte que cette histoire dure au-delà d'un caprice d'Irène. De plus, avec un peu de chance, nous verrons les cerisiers en fleur... Walser, ce petit miracle de fragilité et de beauté, qu'une seule pluie peut balayer, ne dure que quelques jours. Le printemps au Japon est une saison pathétique.

– Je peux vous rappeler que votre éditeur ne paye qu'un séjour pour une personne et pour la seule durée de la promotion ?

– Walser, vous êtes en train de compter, alors que je marche déjà sous les néons de Shinju-ku la nuit avec Irène à mes côtés, extasiée devant tant d'étrangeté. »

20

Parfois ornés du rouge de ses lèvres, je trouve désormais les mots d'Irène, le matin lorsque je me lève et qu'elle est partie aux aurores. Elle appelle des aéroports entre deux vols, téléphone aussitôt installée dans ses chambres d'escale, laisse un message sur le répondeur au moment de quitter l'hôtel, tôt le matin, et que je dors encore. Les messages d'une amoureuse... Lorsque j'évoque son ancienne manière d'être, elle avoue ne pas comprendre et m'assure ne plus être la même personne : qu'il y a eu l'Irène d'avant et celle de maintenant. Je ne peux m'empêcher de me demander comment sera l'Irène d'après ?

21

Toute la communauté russe et mexicaine de Paris est réunie dans un petit château au sud de l'Ile-de-France où nous nous sommes rendus après la cérémonie qui, elle, a eu lieu dans une église orthodoxe du XIXe arrondissement. Le mariage de Vladimir est au-delà de ce que je pouvais imaginer. Il y a là des écrivains, des comédiens de toutes nationalités, des ambassadeurs... Elégante, souriante et gracieuse dans son nouvel ensemble – je lui dis à l'oreille que je suis fier d'elle –, Irène vole de table en table, se mêle aux conversations, disparaît, puis accourt brusquement vers moi et, nommant un acteur célèbre, m'avoue qu'il vient de lui faire le premier baise-main de sa vie.

Irène, émouvante, semble découvrir les douceurs d'un monde inconnu, comme si jusque-là, cette face de l'existence n'avait été réservée qu'aux autres, lui demeurant interdite, puisqu'elle *ne pouvait les mériter*.

Vladimir et Roberta avaient ainsi départagé les influences culturelles dont ils souhaitaient voir pimenter leur mariage : la cuisine serait slave et la musique mexicaine. Il y eut alors ce curieux mélange des zakouskis, de la carpe farcie, des gâteaux d'alouettes et de la vodka rouge avec le son des trombones, des trompettes et des clarinettes d'un orphéon mexicain de quarante musiciens qui joua toute la journée des marches, des pasodobles et des milongas.

Walser, présent, laissa voir sa longue silhouette

déambuler entre les convives, dire quelques mots et fuir à nouveau, comme un dilettante de mariage qui serait là par obligation familiale. Il parla peu avec Irène qui continua toute la journée son ballet entre les cuisines, les buffets, la table des mariés et le parc... Lorsque les Mexicains entamèrent une Llorona de Oaxaca avec introduction à la trompette comme à un début de corrida, Vladimir aperçut Irène se trémoussant seule sur l'estrade d'un salon. Il partit la rejoindre. Effleurant à peine le sol, les yeux parfois fermés, Irène, dans les bras de Vladimir, dansa avec âme et conviction. Lui, avait oublié sa fatigue, son âge, et ils exécutèrent ensemble des passes de danse et de tauromachie du plus bel effet, enivrés par les cuivres et les applaudissements des convives.

A partir de là, les corps s'agitèrent jusqu'à l'arrivée des étoiles et du clou de la soirée : un feu d'artifice avec des têtes de taureaux disséminées au faîte des arbres du parc, et qui s'embrasèrent dans le même temps, libérant des traînées d'étincelles et des gerbes de feu dans la nuit.

22

Epuisé, heureux, plutôt que de rentrer à Paris, je restai dormir dans le studio d'Irène qui se trouvait sur la route du retour.

Le lendemain, vers midi, alors qu'elle se préparait déjà pour un vol au départ d'Orly, le téléphone sonna et, au fur et à mesure de la conversation que je ne pouvais suivre, j'entendis sa voix devenir inquiète, trébucher sur les mots, poser des questions sur quand, comment est-ce arrivé... Lorsqu'elle eut raccroché, Irène vint dans mes bras, puis, dans un mélange de larmes et de paroles, m'annonça que l'état de sa mère s'était soudain aggravé et qu'elle venait d'être transportée à l'hôpital.

Je ne trouvai rien à dire, sinon lui caresser les cheveux et la serrer contre moi.

Irène annula sa rotation et décida de prendre le premier avion pour Marseille où son père viendrait la chercher. Je devais aller chercher nos billets pour le Japon le jour même, Irène me demanda de ne rien changer. Nous étions le 21 mars, notre départ restait fixé au 1er avril.

23

« Elle a fait une entrée remarquée dans le monde, me dit Walser. Elle est belle, elle a de la grâce, un magnifique port de tête... Maintenant que vous avez récupéré la femme de votre vie, vous allez avoir toute la quiétude d'esprit qui amène à produire le chef-d'œuvre dont chaque écrivain rêve...

– Et si le chef-d'œuvre se passait dans la vie et non dans l'écriture, Walser... Réussir une histoire d'amour avec Irène ne sera pas une mince affaire... Souvenez-vous de cette phrase, qui aujourd'hui m'apparaît terrifiante, et que j'avais dite à Justine un jour qu'elle me reprochait de la délaisser au profit du roman sur lequel je travaillais : si un jour le choix se posait entre une femme et l'écriture, je n'hésiterais pas, ce serait l'écriture...

– Et aujourd'hui, vous n'hésitez pas, c'est Irène !

– Exactement. Je veux enfin savoir ce que signifie, aller jusqu'au bout de quelqu'un, avec cette femme-là et pas une autre... A Irène, je donnerai, je promettrai, je partagerai, avec elle je m'engagerai et, puisque je l'aime depuis le premier jour – c'est vous qui avez découvert cela –, je l'aimerai mieux encore et veillerai avec infiniment d'attention à ce que rien ne vienne, ni la blesser, ni entamer sa confiance en moi. »

24

Irène appelle à tout moment. Depuis la maison de son père, depuis l'hôpital où est désormais sa mère. Sa voix est infiniment triste, elle ne pleure pas. J'insiste : « Parle sans arrêt avec elle, dis-lui tout ce que tu as à lui dire pour ne pas avoir à garder quoi que ce soit au travers du cœur, demande-lui pardon, pose des questions, revisitez vos vies à toutes les deux... Dis-toi que les mots qui ne seront pas échangés entre vous maintenant, ne seront plus jamais prononcés dans le monde. »

« Ma mère voudrait te connaître, elle te demande, je veux que tu la voies au moins une fois. »

Je pris l'avion le lendemain.

25

La petite *comtesse aux pieds nus* est étendue sur son lit. Fragile, la peau déjà transparente des mourants. Elle somnole, s'éveille, prononce des phrases, parvient à tenir quelques minutes de conversation, puis repart vers les chemins de la mort. Elle me regarde... Lucia, c'est moi, l'amour d'Irène. Oui, je vous reconnais, aimez ma petite fille, promettez de la protéger de tout, d'elle surtout, et du monde qu'elle connaît mal, promettez... Je vous promets Lucia, je l'aimerai et je la protégerai... Je prends sa main et l'embrasse.

Elle a la même odeur que ma mère, cette odeur qui me tient depuis le premier jour.

Irène sort pour boire un café et fumer une cigarette. Je suis seul avec Lucia dont je tiens toujours la main serrée contre ma bouche. Vous avez reçu ma lettre, me demande-t-elle. Oui, Lucia... Mais je n'ai pas osé l'ouvrir... Je crois, dit-elle en cherchant, pour chaque bribe de phrase, sa respiration... je crois avoir trouvé ce que vous me demandiez. C'était une enfant adorable et un jour quelque chose l'a brisée... Elle n'a plus rien compris aux choses... Je crois savoir... Rebelle... A tout... A la vie... A moi... Elle est devenue une jolie femme qui a oublié de grandir... Lucia se tut un moment comme si elle était repartie pour un long sommeil. Puis elle ajouta... Serrez-la contre vous, toujours, aidez-la à devenir une femme digne... Digne, répéta-t-elle encore.

Je promis, et restai un long moment avec sa main

dans la mienne à la regarder paisible et assoupie.

Trois jours plus tard, Lucia mourait. Ses cendres furent offertes au ciel et aux fleurs, au vent du sud et aux étoiles.

La cérémonie

4

1

Le vol AF 272 nous fit atterrir vers 19 h 30 heure locale à Tokyo Narita. Un bus limousine mit une heure et demie encore pour nous conduire au centre de Roppongi, à l'ANA Hôtel.

Trente-neuvième étage, une baie vitrée sur la ville entière, des autoroutes intérieures, des idéogrammes clignotants, des buildings. Trois bouquets de fleurs au nom d'Irène et au mien : un de mon éditeur, un autre de Kenji, un autre encore du directeur de l'hôtel... Dès notre arrivée, Irène s'est mise à l'affût du geste, de l'attitude qui n'ont cessé de la surprendre. Tout l'émerveille.

Pour parfaire son dépaysement, je l'emmène dans une petite rue qui longe la voie ferrée, dans le quartier de Ginza, un endroit à bouis-bouis où les yakitoris frits sur des braseros de plein air enfument tant la ruelle que l'on pourrait se croire dans un siècle reculé, d'avant Meiji, alors qu'à cinquante mètres passe régulièrement le Shinkansen, le TGV japonais qui relie Tokyo à Kyoto en moins de trois heures.

Cinq jours après la mort de Lucia et, au bout du monde, son dernier visage et son parfum nous accompagnent sans que nous ayons à parler là-dessus, Irène et moi.

2

Les touristes européennes et américaines semblent toutes s'être habillées pour une balade en haute montagne, une partie de campagne ou une expédition de spéléologie. Larges jeans, chemises écossaises de cowboys qui dépassent, blousons, bonnets, chaussures Nike, sacs à dos... Le contraste avec l'élégance des tailleurs pastel, jaune, rose, fuchsia des petites Japonaises étonne Irène, elle-même en collant et manteau à col fourré.

Dans le quartier Haradjuku, où nous nous rendons le premier matin pour visiter le parc et le temple Meiji, elle photographie tout ce qui bouge, un enfant avec un ballon, des bonzes en habits rouge et blanc, les corbeaux, les carpes du bassin... Dans une rue, en remontant vers Omote Sando, un calicot avec cette inscription, *j'avoue j'en ai bavé pas vous mon amour*. Au premier étage d'un immeuble, dans l'appartement d'un particulier, une exposition ultraprivée d'Alechinsky...

Le soir, à l'hôtel, message de Kenji. Nous partons tous les trois, Irène, lui et moi, le lendemain soir pour sa *résidence secondaire,* le temple de la mer du Japon.

Comme les gouvernements nouveaux, profitant de l'état de grâce pour épuiser les contentieux et repartir sur des bases neuves, je suggère ce soir-là, au lendemain de notre arrivée, que se règlent deux choses importantes, afin que disparaissent à jamais malaise ou suspicion. Mais il faut que les mots soient proférés pour qu'ils puissent s'effacer de nos comptabilités amoureuses.

« Irène, dis-je, il reste deux points troubles entre nous, et je ne veux pas qu'un jour ils puissent servir à nous éloigner encore. Il y a cet homme avec qui tu viens de passer trois mois... Et l'argent...

– Je sais, j'ai calculé, je te dois cinquante mille francs, tu les auras, j'ai promis...

– Justement, cet argent on n'en parle plus. Il n'y a plus de dette, c'est notre histoire d'avant et elle ne ressemble pas à celle que nous vivons à l'instant. D'accord ? Mais l'homme, tu as rompu avec lui ?

– Je ne le vois plus. Cette histoire était une non-histoire... Je me suis servie de lui pour tenter de te quitter...

– Tu lui as dit les mots pour lui indiquer que c'était terminé ?

– Non, pas vraiment. Il téléphone encore de temps à autre, laisse un message, mais je ne le rappelle pas.

– Alors, fais un geste, qu'il sache qu'il n'a rien à espérer de toi. »

Je suis descendu à la galerie marchande de l'hôtel pour trouver des journaux français. Lorsque je remonte, Irène tient en main une lettre qu'elle vient à peine de terminer. Elle me fait lire. C'est sans ambiguïté. Je prends ses mains, les embrasse, et comme les Japonais pensent depuis des siècles que communiquer et apprendre sont des vertus cardinales, notre chambre est équipée d'un télécopieur. Je vois alors le papier d'Irène disparaître dans la machine pour en apprendre un peu plus à un homme, à l'autre bout du monde, sur l'inconstance des sentiments.

3

Aéroport de Tokyo Haneda, lignes intérieures.

Kenji est passé nous prendre en voiture à l'hôtel. Nous avons laissé une partie de nos bagages pour, chacun, ne garder qu'un sac à l'épaule et les retrouver à la fin de la semaine, après notre escapade : au temple d'abord, où deux nuits sont prévues, puis à Kyoto où nous séjournerons trois jours avant de revenir à Tokyo.

Kenji reste mystérieux sur ma demande faxée concernant une cérémonie de thé pouvant faire office de fiançailles. Il se contente de sourire... Une manière japonaise qui peut aussi bien signifier *tout va bien* comme *tout va mal*. Ma question reste en suspens.

Nous survolons et traversons le pays de l'est vers l'ouest en direction de la mer du Japon. Des montagnes sombres et arides, avec des sommets enneigés, aucune ville, seuls quelques minuscules villages semblent posés comme des jouets dans ce vaste désert. Brusquement, le paysage montagneux s'arrête net, une étroite plaine, et c'est la mer.

Reste une heure d'autoroute, puis des chemins escarpés de bord de mer, pour être enfin à destination : Kaga, au temple Jisshô-in.

4

Le temple a la forme d'un grand U dont la base serait très élargie. L'aile gauche est le corps de bâtiment que loue Kenji et où nous allons séjourner. La partie droite est habitée par le bonze, quelques élèves et employés. La base, très longue, correspond au temple proprement dit, immense, avec en son milieu un toit relevé et pointu recouvert de petites ardoises peintes. Le tout en bois, et datant de quatre siècles. Coincé entre les deux ailes, un petit parc avec des arbres, des statuettes en pierre et des chemins dallés au milieu de pelouses de mousse.

Il faudra expliquer tout cela à Walser.

C'est en suivant une de ces allées de pierre que nous pénétrons dans notre maison. Chaussures à l'extérieur, tatamis à l'intérieur, le chauffage a été allumé avant notre arrivée et les cinq pièces sont séparées par des portes coulissantes en bois et papier.

Emotions, décalage horaire, Irène s'endort sur un futon, aussitôt celui-ci sorti d'une armoire et posé à terre.

J'en apprends alors un peu plus sur ce qui va suivre.

Finalement, Kenji a demandé avant notre arrivée si son ami bonze était d'accord pour célébrer notre cérémonie de fiançailles. Après quelques hésitations, puisque de toute évidence, ni Irène ni moi ne sommes bouddhistes, il a saisi au vol le juste prétexte : mon roman a été traduit dans ce lieu, donc mon esprit habite l'endroit depuis des mois et rien ne s'oppose à unir cette présence à la personne de mon choix. « Mais, ajoute Kenji en souriant, il n'y a pas de fiançailles dans le bouddhisme, ce sera un mariage. »

Stupéfaction du futur marié ! Bizarrement, je reste encore fixé sur une cérémonie symbolique que j'imagine durer cinq minutes, et demande à Kenji que soient prononcés quelques mots à la mémoire de la mère d'Irène. « Il est déjà au courant. Il veut juste savoir son nom.

– Lucia ! »

Présentation au maître de cérémonie.

Takeshita San est en bleu de chauffe, le crâne rasé, il semble avoir une quarantaine d'années. D'excellente humeur, il sourit, me serre longuement la main et précise à Kenji, qui traduit, que tout commencera demain matin à onze heures. Il continue de parler, me regarde, je sens qu'il est question de moi. « Il est très heureux de te rencontrer... Il vient de terminer ton roman et croit avoir compris que tu penses que l'époque est dépourvue d'amour, que les gens éprouvent des sentiments... frileux (il a hésité sur la traduction), que chacun enfin rêve d'une passion, mais qu'elle se trouve uniquement dans les films ou dans les romans anciens, pas dans la vie. » Je le remercie pour sa lecture et avoue simplement que ma certitude s'est transformée puisqu'à cet instant, je suis amoureux. « Plus, ajoutai-je, c'est justement d'une passion qu'il s'agit. » Cette fois, le bonze éclate de rire, parle encore vivement à Kenji en jetant de temps à autre un œil amusé vers moi. « Il dit qu'il faudrait vivre sept vies avant d'écrire un roman, mais que tu as de la chance, puisque dans une seule vie tu as découvert que l'amour n'existait pas, et pour avoir osé écrire cela, on vient de te donner l'amour le plus rare qui puisse s'offrir aux hommes... Tu es donc dispensé de vivre tes six autres vies ! »

5

Des petits alevins roses frétillent au fond d'un long verre à cocktail. Chacun des quatre convives présents – des amis de Kenji – avale le tout d'un trait. Ils nous regardent, j'hésite, Irène proteste que cela lui est impossible, ils rient de plus belle, elle cache son visage, horrifiée.

Nous sommes attablés depuis deux heures dans un bar à sushi. Tard dans la soirée, une jeune femme nous rejoint. Elle est habillée d'un kimono traditionnel et porte des tongs aux pieds. Discussions, plaisanteries, saké, la femme s'éclipse pour téléphoner. Au retour, elle nous invite, Irène, Kenji et moi, à finir la soirée dans sa maison. « C'est une marque d'amitié », nous fait remarquer mon traducteur.

La femme au kimono a un regard d'une rare douceur.

Son mari et ses deux filles, manifestement, nous attendent. Dans un des deux salons de la maison, un autel entouré de reposoirs avec des figurines posées sur des tissus de soie noire. « C'était la fête des jeunes filles, explique Kenji à Irène, et c'est la tradition de conserver le décor de la fête durant un mois. »

La jeune femme, qui se prénomme Keiko, porte une grande attention à Irène. Celle-ci est émue, je le remarque à son sourire qui n'est plus un simple signe de civilité et, puisque les mots ne peuvent rien signifier, elles ne cessent de se regarder comme de jeunes amoureuses.

Etonnements et politesses s'accumulent. Irène

annonce, innocente, qu'elle n'a jamais assisté à une cérémonie du thé... Qu'à cela ne tienne, les deux jeunes filles de la maison nous offrent, en respectant le rituel des gestes, du sérieux et des formes, la cérémonie demandée. Il est deux heures du matin.

Pendant que nous continuons à parler, à mélanger bière et saké, manger des petits rouleaux de poisson, complices, les deux femmes se sont éclipsées. Une demi-heure plus tard, Irène nous revient, habillée en kimono. Elle est magnifique. Kenji me précise que c'est le signe d'une grande confiance, car ce kimono tout en soie est celui-là même que portait Keiko le jour de son mariage. Cependant, celle-ci s'excuse pour la parure qui n'a pas été disposée suivant les règles et ajoute à mon intention : « C'est un cadeau pour vous et pour votre regard. »

Irène est transfigurée, touchée au plus profond par de tels égards, survenus dans un pays qu'elle découvre à peine, et dont elle semble avoir été si peu l'objet au cours de sa vie.

De retour au temple, elle s'endort, ne pouvant imaginer que cette dernière séquence de la nuit était, en fait, une répétition.

6

Mon adorée, mon amour, ma femme d'univers...

Qui t'a désignée à moi ?

A quel signe de toi, de moi, ou venu des choses du monde, ai-je obéi pour que me soit imposée ma certitude ?

Es-tu une idée de la perfection dont je ne me faisais pas idée ?

Pourquoi toi ?

Me suis-je tant posé la question, qu'elle ne se pose plus ?

Ou encore : Es-tu la réponse évidente d'une question qui n'a pas été posée ?

L'extraordinaire étant que, de toute chose, la plus difficile à accepter est *l'évidence*.

7

Réveil à neuf heures. Kenji est debout, déjà habillé, deux bols de café à la main.

Nous prenons notre bain Irène et moi dans une baignoire en bois à la japonaise, étroite, mais suffisamment haute pour avoir de l'eau jusqu'au cou. Assis, les jambes enlacées, nous nous aspergeons. Purification païenne, jeux, Irène est heureuse.

Keiko, accompagnée de deux femmes, se présente. Le kimono de soie blanc, imprimé de roses grenat, jaunes et d'iris, essayé la veille par Irène, est déployé sur un porte-vêtement en bois d'érable. Déployée également l'obi, une large bande de soie aux identiques couleurs peintes, et qui sera enroulée à la taille, par-dessus le kimono avec, pour le clore, un énorme flot noué dans le dos de la mariée. Les quatre femmes disparaissent de l'autre côté de nos regards.

Une heure plus tard, la porte en bois et papier coulisse, Irène apparaît. Ses cheveux noirs accentuent la pâleur de son visage empreint, pour la première fois, de gravité... Elle est une femme de l'Orient et de l'Occident, la femme de deux mondes où se côtoient une infinie délicatesse et une silhouette aux proportions parfaites.

8

Trois musiciens jouent une mélopée lancinante, tandis que deux moinillons s'affairent autour d'un gong et de bâtons d'encens. Le temple est grand ouvert. D'immenses tentures rouges descendues du toit cernent l'autel ainsi que deux bannières dorées. On nous indique des coussins où nous agenouiller, sur la droite, Keiko et Kenji font de même à nos côtés, enfin le bonze en chasuble de moire violette fait son entrée. Gong.

Il prononce des paroles rituelles dans lesquelles Irène et moi repérons un nom, Lucia, qui nous trouble aussitôt. Elle me regarde, la surprise avait été maintenue jusqu'au bout... Lorsque Kenji traduit – ce qu'il fera tout au long des événements qui vont se dérouler –, il nous apprend à voix basse qu'avant la cérémonie de nos fiançailles, c'est à une cérémonie des morts que nous allons assister. Une cérémonie à la mémoire de la petite comtesse aux pieds nus.

Irène, bouleversée, cherche ma main.

Les psalmodies du bonze commencent, l'encens se met à brûler et les volutes bleutées envahissent le lieu pour atteindre la fissure où rejoindre le nuage des morts. Je revois la chambre d'hôpital et laisse aussitôt le parfum des mains de Lucia s'imposer à ma mémoire. Elle est là, avec nous dans ce temple, à douze mille kilomètres de son dernier souffle, présente, voyageuse magnifique, regardant avec bienveillance les premiers pas de sa fille sans elle.

9

Dans une île fragile, soumise aux tremblements de terre, aux raz de marée et aux typhons, on apprend à vivre avec le temps des cataclysmes, puis avec le temps du silence. Après les amplitudes sur l'échelle de Richter, il faut savoir que la terre se tait et que l'heure est à nouveau à l'harmonie avec les saisons, à la paix avec soi et avec l'ordre de la nature.

Le choc et la surprise de la première cérémonie passés, nous sommes conduits dans une salle située à l'arrière du temple, toutes baies ouvertes sur un jardin zen où coule une minuscule rivière. Le ciel est au plus bel azur, et la forêt de bambous qui s'élève à l'orée du jardin ondule doucement. Accompagnés de nos deux témoins, nous sommes assis en tailleur dans une pièce nue, sans table, ornée seulement de deux gravures et d'un bouquet de fleurs. Deux femmes nous servent du thé vert, « pour retrouver la sérénité avant de vous fiancer », précise Kenji.

Keiko ne cesse de surveiller les réactions d'Irène. Elle la couve, prête à accourir à la moindre défaillance. Moi aussi, je regarde Irène. Emue, toute son attitude est un remerciement. Trois minutes à peine avaient été consacrées à la mémoire de sa mère le jour de la crémation (il y a exactement une semaine) et ici, à l'autre bout du monde, des gens qu'elle ne connaît pas offrent à celle-ci un cérémonial, un rituel et des prières pour l'aider à traverser, sans remous ni frayeurs, la rivière des morts.

10

Je vais décider dans un instant qu'une seule et unique femme comptera désormais pour moi dans le monde, et je suis profondément heureux de cela. Pour la première fois, j'ai le sentiment d'être bousculé par une succession de choses particulières qui, à chaque seconde, m'entraînent vers des recoins de mon histoire qui semblaient n'avoir jamais été visités ni explorés jusqu'alors.

A notre retour dans la salle de cérémonie du temple, deux hauts fauteuils de cuir rouge ont été installés face à l'autel, pour Irène et moi. A nos côtés, et agenouillés, nos amis. Takeshita San arrive, cette fois habillé d'une longue cape vermillon doublée d'argent. Il prie un long moment, puis vient nous asperger d'eau « pour vous purifier, physiquement et spirituellement », chuchote Kenji, notre passeur de langages. Longues psalmodies à nouveau du prêtre, sur une seule note, puis montée d'un demi-ton et arrêts brusques sur les fins de phrases. A plusieurs reprises, un jeune garçon fait claquer, d'un coup sec, deux bambous entre eux. Un autre ponctue chaque série de chants par le coup bref d'un maillet sur un gong qui résonne longuement dans le temple.

Trois coupelles de saké nous sont alors tendues. Il s'agit de boire chacune d'elles en trois fois. Ce que nous faisons avec recueillement. Le rituel terminé, le bonze s'adresse à la fiancée en premier et lui demande de prononcer son engagement. Nous sommes debout, Irène me regarde. Tout est allé si vite. Elle avance les mains vers moi et déclare, sans trembler, entièrement à l'intérieur de ses mots et de ses pensées... « Je t'ai choisi, je t'aime, je veux que tu sois le père de mon enfant... Et je te serai fidèle. » Le bonze tourne les yeux de mon côté. « Je te serai fidèle et te protégerai de tout ce qui pourra te faire mal... Mon amour pour toi n'aura pas de fin. » Une larme glisse le long de la joue d'Irène, je pense à ma mère, à ma vie passée sans jamais avoir eu à dire ces mots-là à une femme. Et je suis bouleversé par cela. Irène, dont je me suis tant défendu, est ici, dans un temple bouddhiste, à mes côtés, loin de nos mondes, loin de notre passé turbulent, et je viens de prononcer pour elle les mots que j'avais le plus enfouis en moi, des mots d'astronome et de physicien qui relient les astres aux astres et les galaxies aux galaxies, les mots de la foi et de l'humilité, inventés dès le jour de ma naissance en sortant d'un corps de femme, pour être dits le jour de cette autre naissance qui me jette aujourd'hui vers une autre femme, à l'intérieur d'elle.

Prière de silence.

Une clochette retentit. Le bonze se tourne alors vers nous pour dire qu'il venait de demander au ciel, aux mers et aux arbres du monde que le respect mutuel demeure notre loi. Il passe à nos poignets deux bracelets en perles de jade, puis il conclut : « Vous venez d'entendre le son que produisaient deux bambous... Quel est le son d'un seul bambou ? Votre amour sera la musique qui enchantera la vie des hommes et leur existence. Si par malheur, vos corps s'éloignaient l'un de l'autre, que deviendrait la musique du monde ? »

Il reprit son sourire que je lui avais connu la veille,

vint nous saluer et tendit à Irène un rouleau de papier clos par un ruban. Kenji lui fit signe qu'elle devait l'ouvrir maintenant. Elle dénoua délicatement l'attache en tissu et laissa le papier se dérouler. Un idéogramme noir était peint en son milieu. Kenji précisa : Il l'a calligraphié cette nuit à l'encre de Chine, pour vous, en témoignage et en souvenir. Ça veut dire Gi-shi Ki : *La cérémonie.*

Le bonze sourit à nos remerciements et s'éloigna en faisant un dernier signe, sans se retourner.

11

Accompagnés le lendemain matin à la petite gare de Kaga par Keiko et ses deux filles, nous prîmes le train pour Kyoto en laissant sur le quai des regrets, des mains qui s'agitent, et le doux sourire de la nouvelle amie d'Irène. C'est promis, elles s'écriraient, se feraient des cadeaux et se reverraient. Un jour... C'est comme ça la vie, non? On part toujours avec la certitude de revoir ceux que l'on vient d'aimer.

A Kyoto, l'air est doux et, chance, les cerisiers viennent juste de fleurir. Nous habitons le premier soir dans un ryokan, une auberge traditionnelle, le *Yoshida Sanso*.

Dans ce genre d'endroit, la salle de bains est à l'étage. Il s'agit d'une grande pièce entièrement carrelée avec une pente d'écoulement d'eau où l'on peut s'ébrouer, se laver, s'asperger avec une cuvette en bois, avant d'entrer, propre, dans une minipiscine où l'eau est surchauffée. Je ne m'attarde pas et laisse Irène prendre son temps.

Les lits ont été préparés, à terre, sur le tatami. Je regarde les toits de Kyoto la nuit et écoute un concert d'insectes. Des cigales? Le temps passe, Irène n'est pas là. Retour à la salle de bains. Une épaisse buée dissimule les lieux. Recroquevillée sur un petit banc, Irène sanglote. « Il s'est passé tant de choses en une semaine, me dit-elle, et je viens seulement de me rendre compte que je ne verrai plus ma mère. Jamais. Je ne pourrai plus l'appeler, lui demander conseil, entendre sa voix...

Hier, pendant la cérémonie, elle était là, je l'ai sentie. Quand j'étais petite, elle m'appelait sa poupée. Et là, dans le temple, avec mon kimono, habillée en Japonaise, j'étais encore sa poupée, et elle était fière de moi... Pourquoi ? Je ne parviens pas à savoir, pourquoi j'ai été capable d'autant d'insouciance à son égard ? Je l'ai fait mourir d'attente... » « A l'hôpital, elle t'a pardonné pour tout ça. Vous en avez parlé, n'est-ce pas ? » « Oui... Mais c'est moi qui ne me pardonne pas... »

12

Lorsque l'on veut surprendre une personne que l'on aime, le Pavillon d'Or est d'une perfection poussée à l'extrême, puisque même son approche est une réussite. On y accède par un labyrinthe cerné d'arbustes taillés qui en cachent la vue jusqu'au dernier moment. Alors seulement, il apparaît. Au premier plan, un lac, puis le temple lui-même entièrement couvert de lamelles d'or, derrière enfin, en toile de fond, une forêt d'arbres divers, bambous, érables et mélèzes, plantée sur une montagne. Irène voulut entreprendre un groupe de touristes pour qu'ils nous photographient. Je renâclai, arguant qu'elle pourrait se donner le temps d'en faire d'abord profiter ses yeux... « Après », me dit-elle. Photos, donc.

Plus tard, dans l'après-midi, après avoir flâné sur un chemin, dit des Philosophes, nous passons devant un petit café à l'enseigne : *Au cattleya.* Etonnement de ma part : cattleya, si loin ! A Irène qui n'a rien vu, je demande si ça évoque quelque chose, non, elle a beau chercher, ça ne lui rappelle rien. « Tu es mon amant, dit-elle, à présent, mon fiancé et tu as le devoir permanent d'être aussi mon professeur. » Merci Irène de me rassurer... Alors je résume Proust, Swann, Odette, et la manière discrète et élégante de remplacer amour par cattleya. « C'est joli, dit Irène, mais moi, entendre dire on va faire l'amour, ça me donne des frissons. *Faire cattleya*, c'est un peu chirurgical, tu ne trouves pas ? » Je ne commente pas. Subjectivité, après tout !

Un parc se présente. Des centaines de cerisiers en

fleurs forment une voûte sous laquelle des tentes ont été montées. Nous nous asseyons sur un banc de buvette et regardons la foule bigarrée profiter d'une beauté tranquille et éphémère. Des pétales blancs, légèrement teintés de rouge transparent, volettent à travers d'invisibles tourbillons d'air, et les enfants tentent de les attraper, comme s'il s'agissait de papillons qu'il serait enfin permis de serrer dans la main.

Il y eut là une fraction de temps qui pourrait s'appeler bonheur, un épisode de notre vie que rien, à cet instant, ne pourrait entamer, avec en plus, la délicieuse certitude qu'il n'y avait pas de hasard, seulement quelques miracles.

13

Dans le train à grande vitesse qui nous ramène à Tokyo, j'ai réservé deux places, côté gauche. Au départ de Kyoto, j'avais demandé discrètement à une hôtesse du train de bien vouloir me prévenir lorsque nous serions en approche du Fuji Yama, afin qu'Irène, qui ne se doutera de rien, n'ait plus qu'à tourner la tête au dernier moment. Sans cesse je consulte ma montre tandis qu'Irène regarde les toits aux tuiles bleues vernies, les rizières, les champs de thé à flanc de montagne, qui ressemblent à de petites forêts de buis. Après deux heures de voyage, l'hôtesse vient vers nous et, du pouce et de l'index, m'indique : « Two minutes ! » Il y a des nuages mais, en deux minutes, tout peut changer...

La tête sur les seins d'Irène, je guette l'arrivée du cratère couronné de neige. Hélas, les nuages persistent... J'annonce la surprise qui n'en est plus une et, pour pallier nos déceptions, je propose une séance cadeaux que nous avions prévue dès notre arrivée à Tokyo. « OK, dit Irène, un train c'est moins banal qu'une chambre d'hôtel. »

Chacun de nous fouille dans son sac et sort ses paquets. Avant le dévoilement des mystères, je demande à notre hôtesse s'il est possible d'avoir du saké. Elle sourit pour refuser et expliquer qu'on ne vend que de la bière. Mais elle ajoute, do you like cherries ? et file chercher deux petites fioles où flottent, dans un liquide blanc, des baies rouges qui semblent être des cerises. « Cherries, but no cherries... » répète-t-elle à plusieurs reprises, ajoutant un mot japonais, sakuranbo, que je ne peux comprendre. Des cerises qui ne sont pas des cerises ? « Ce sont des griottes », déclare tout sourire, Irène. Sous l'œil inquiet de la jeune Japonaise, nous harponnons un des fruits avec une petite pique de bois. « Ça te ressemble, dis-je à Irène... C'est amer, sucré, et ça enivre. *Griotte*, c'est un nom qui te va bien ! »

Chacun tend deux paquets à l'autre et nous désignons celui qu'il faut déballer en premier. Irène m'offre une montre de gousset en argent, « elle est du XIXe siècle et, ce qui est rare, du moins c'est ce qu'a prétendu la vendeuse, les chiffres gothiques sont bleus, alors que d'ordinaire ils sont noirs ». Coïncidence ! Moi je lui offre la montre de joaillier qu'elle avait aperçue au poignet de Roberta et qu'elle avait qualifiée de « raffinée et discrète ». Effusions, remerciements. Paquets suivants. Deux anneaux s'extraient de leurs écrins. Irène en premier me passe une alliance. Je fais glisser à mon tour, sur son doigt, une bague avec un petit diamant. Emotions...

Les paysages défilent, je regarde le cadran du wagon où des chiffres rouges numériques indiquent aux voyageurs la vitesse du train.

Curieusement, nos cadeaux parlent du temps. Les montres, pour le temps du monde et les anneaux, pour l'éternité. A 232 km/h, nous nous ruons, Irène et moi, vers l'infini.

14

Notre chambre du 39e étage est éteinte. C'est la nuit. La lueur des lumières et des néons de Tokyo éclaire nos visages en sueur. Nos corps aussi. Des étoiles électriques traversent le ciel, Irène nue, en chaussures à talons, se lève et va s'asseoir le dos à la baie vitrée, cet immense décor de ville derrière elle. Contre-jour. Sa main est entre ses cuisses, je suis debout, face à elle. Je fixe cette image pour toujours d'une femme désirante et de mon désir pour elle.

15

L'angoisse déjà. A nouveau. Il va falloir nous séparer. Dix jours ont passé. Irène doit regagner Paris pour son travail, moi, je dois rester ici faire le mien. Jamais la géographie ne nous aura autant éloignés. Douze heures de vol, deux continents, une Sibérie...

La veille du départ d'Irène, un dîner est prévu avec l'ambassadeur et sa femme. Soirée informelle dans un restaurant de Roppongi. Dans l'après-midi, un fax nous annonce que l'ambassadeur est souffrant, mais que le dîner n'est pas annulé pour autant, madame passera avec le chauffeur nous prendre à l'hôtel. Pour me faire plaisir, Irène a mis l'ensemble noir à petits motifs rouges et blancs que je lui ai offert pour le mariage de Vladimir. Symbole de son retour et de la découverte de mon amour pour elle, j'aime la voir habillée ainsi. A l'heure dite, la voiture d'ambassade nous embarque vers les dédales de Tokyo.

Au restaurant, Irène est à mes côtés, l'autre femme face à nous. Sujets conventionnels, puis privés, la conversation et la soirée sont agréables. Vers onze heures, nous nous séparons sur le perron de l'hôtel et Irène et moi nous nous retrouvons seuls dans l'ascenseur. L'attaque survient sans prévenir : « Tu ne m'as pas regardée de la soirée, je n'existais plus, tu ne t'es préoccupé que d'elle... » Surpris par le reproche, je n'éprouve même pas le besoin de me défendre et me tais. La femme n'était pas spécialement jolie, mais élégante et cultivée, et j'ai le sentiment d'avoir assumé une politesse minimale due à cette femme d'abord, et à ce qu'elle représentait ensuite.

Une fois dans la chambre, je pense que la crise est passée, qu'Irène aura présent à l'esprit qu'elle part demain et qu'il serait dommage de gâcher un séjour rempli d'instants rares, de sacré et de promesses... Mais elle demeure muette, assise près de la fenêtre, un carnet à la main. Elle écrit. Je tente, une fois encore, de désamorcer une crise dont je ne comprends pas l'origine. « C'est vrai que je me suis plus adressé à cette femme qu'à toi, elle est plus âgée que nous et nous avions à être polis avec elle, toi et moi. Je ne vois rien là d'extraordinaire... Ne te laisse pas envahir par des choses sans importance, je t'en prie ! Au regard de tout ce que nous venons de vivre, cette soirée n'est même pas une péripétie. Tu as le droit d'être contrariée, pas malheureuse. »

Rien n'y fait. Je me dis que le malheur de notre séparation ne lui a rien appris. Pas plus, d'ailleurs, que le bonheur de vivre une collection d'instants hors du temps. Qu'est-ce qui peut soudain l'avoir envahie à ce point qui bloque en elle toute parole et toute possibilité d'explication ?

Nous nous endormons au petit matin, éloignés l'un de l'autre.

16

« J'ai écrit toute la nuit à ma mère. Je me suis sentie abandonnée, seule, sans personne avec qui partager ce malheur d'un soir... »

Irène était en train de faire ses bagages et c'était déjà une petite mort qui m'aspergeait le visage. Brosse à dents, bouteille de parfum, lotions, chaussures à talons, baskets, souvenirs, petits savons d'hôtel, vêtements, sous-vêtements, cartes postales, estampes, pellicules photo, tout disparaît, s'empile dans une valise, comme les accessoires d'une représentation donnée à l'étranger et qui repartent vers leur pays d'origine.

Nous allons, une fois encore, marcher dans les petites rues de Tokyo, à trois minutes à peine des voies express qui la traversent. Avec un peu de retard sur Kyoto, le printemps est enfin là avec les fleurs des cerisiers et la douceur de l'air. Un chat monte le long d'un pylône électrique. Des livreurs de repas passent sur leurs vélomoteurs. Près d'une échoppe à cachets de cire, Irène nous arrête. Elle se colle à moi et dit : « L'incident d'hier est terminé, j'ai dérapé, excuse-moi. Je peux te redire quelque chose ? Je t'aime, je t'ai choisi pour fiancé, et je veux passer ma vie avec toi. »

Irène s'est installée dans un des Bus Limousine qui relient les hôtels de la ville à l'aéroport, je reste un moment sur le trottoir à lui envoyer par la vitre mes derniers messages muets.

L'autocar tarde à partir. Je repense à l'incident de cette nuit. Regards vers Irène. Je me demande si elle fait partie de ces gens capables d'abandonner des valeurs aimées et respectées pour donner plus de poids à des valeurs illusoires, s'octroyant ainsi le droit, pour un malheur de passage, de s'en aller, fixés sur l'inessentiel devenu subitement important à leurs yeux.

Un instant, elle tourne la tête et échappe à mon regard. Je devine qu'elle pleure. Malgré les portes déjà fermées et la rigueur japonaise, je fais signe au chauffeur de m'ouvrir. Durant quelques secondes, je peux étreindre une fois encore l'objet aimé. « Au revoir, griotte ! » Elle pleure un peu plus... « Reviens vite ! » dit-elle en reniflant.

Je vois le bus démarrer, un geste encore, puis il disparaît lentement dans la circulation. Pendant quelques minutes, je ne sais quoi faire de mon corps.

17

Un des projecteurs m'éblouit et je demande s'il est possible de le tourner légèrement. L'assistant photographe s'exécute. Kenji qui est à mes côtés me dit qu'il vient de prévenir la réception afin que l'on transfère mes appels dans cette somptueuse suite, au dernier étage de l'hôtel, louée pour quelques heures par mon éditeur. Au Japon, les choses ne se font pas dans l'approximation. Il s'agit pourtant d'une simple interview de presse écrite. Une des chambres a été transformée en studio photo, l'autre partie servant à l'entretien enregistré. Alors qu'Irène vient de me quitter et de me laisser seul il y a une heure à peine, dix personnes sont à présent là, à s'affairer autour de moi. Un photographe, son assistant, une maquilleuse, Jinseï Tsuji, écrivain, journaliste pour la circonstance, la rédactrice en chef du journal, une sténographe, un préposé au son, Kenji pour la traduction et, enfin, mon éditeur.

La nuit vient d'apparaître. J'appréhende déjà le retour dans ma chambre, avec mes seules affaires d'homme dans la salle de bains, l'armoire désencombrée de ses vêtements de femme, et la baie vitrée, nue, sans le corps d'Irène pour embellir Tokyo.

Jour après jour

5

1

« Avant que vous me racontiez vos aventures nippones, il faut que je vous dise... J'ai fait un aller-retour Paris-Bordeaux pour voir mon père », dit Walser... Je l'interrompis. « Vous m'avez manqué, Walser. J'étais heureux, insouciant pour la première fois depuis longtemps, mais il y eut toujours en moi une incompréhensible sensation d'insécurité, le sentiment qu'Irène demeurait fragile, malgré les serments et les engagements... Vous me manquiez car j'aurais aimé votre présence pour m'aider à me déprendre de cette idée... Je vous ai coupé dans votre élan! » « C'est une anecdote, mais elle est édifiante et, vous allez le constater, cela m'a forcément fait penser à vous. Donc, je suis dans l'avion. Passe une hôtesse, assez jolie, pas mon genre, et j'ai soudain l'envie de voir comment réagit une telle fille à une drague élaborée. En fait, je pensais très exactement : est-ce qu'Irène résisterait, au cas où les choses flotteraient un jour entre vous, à un tir de séduction bien programmé? Je vous livre la chose... J'élimine d'emblée de parler romans, films, musique et concentre mon propos sur la nature. Ambiance new age, vous voyez. Je commence par de l'anodin : la voile. "Quand je peux, le week-end, je viens à Lacanau, dis-je, ou si je n'ai pas assez de temps, je vais en Normandie, je loue un voilier avec des amis et je m'enivre de vent, de liberté...

"C'est super, dit la fille, moi j'en ai fait l'été dernier aux Caraïbes, j'ai adoré..."

Je me dis, on va resserrer le cœur de cible. J'hésite

entre le canyoning, le tir à l'arc et le golf. J'élimine le golf encore un peu trop élitiste. Qu'est-ce que vous auriez choisi ? » Je réfléchis une seconde et dis, le tir à l'arc. « Vous avez tout faux ! Trop zen, trop sérieux, trop de concentration exigée... La bonne réponse est le canyoning : expérience de groupe, expérience personnelle, et en prime, le rire. On part à plusieurs un week-end, les pétards ne sont pas prohibés, on couche les uns contre les autres, puis on dévale des cascades, on glisse, et on s'amuse... Je continue et amène la fille au canyoning. Je fais mouche !

"C'est top ! me dit-elle, j'ai fait un week-end l'été dernier au-dessus de Grasse avec un équipage, on n'a jamais autant ri. Je devais rendre visite à un ami, et j'ai failli oublier..."

Vous voyez, dit Walser : rire, petit danger, les copains... Je me dis, à présent, il faut taper un cran au-dessus, dans le style aventure intérieure... J'enchaîne. "Et une sortie en raquettes dans les Pyrénées, vous connaissez ? L'immensité blanche, la rivière du loup, le silence et surtout : pas un être humain à l'horizon. Balayée la civilisation : la nature, et rien d'autre." Là, elle me regarde, bouche bée... Je sens que j'ai marqué un point et que j'ai déjà une soirée assurée.

"Ce que ça doit être top ! dit-elle, se retrouver face à soi-même..."

Arrivé là, je me dis : ou je pousse jusqu'en Alaska, les peaux de phoques et les chiens de traîneaux, ou changement radical de registre. Je prends l'option western, *Il était une fois dans l'Ouest* à la française. Tout de suite rassurer, indiquer la faisabilité et la proximité.

Donc, badin à nouveau, je lance : "La semaine dernière j'ai passé une journée à cheval au bord de la mer, en Camargue, et vous savez quoi ? J'arrive au sommet d'une dune, et là un millier de flamants roses s'envolent en contrebas, sous mes yeux... C'était... poignant. Oui, poignant !" A ses yeux extasiés, dit Walser, ce n'est plus une soirée à laquelle j'ai droit, mais à un week-end... En Camargue, évidemment. Elle dit : "Ça, c'est le top des tops. Poignant, excitant..."

Comme nous arrivions sur Paris, je cherche le dernier petit truc, l'estocade qui allait définitivement la faire craquer. Je n'allais pas lui demander son téléphone, elle me jouerait la mijaurée ultrasérieuse qui ne donne jamais, mais jamais son numéro à un passager ! Donc, lui faire connaître le mien, mais comment ? Un bout de papier, une carte de visite, on lui a fait le coup cent fois, j'élimine. Ce jour-là, je porte une cravate. Pendant la phase d'atterrissage, elle va s'asseoir en face de moi. Ostensiblement, sous son regard, je relève mon col de chemise, retire ma cravate, et sans en défaire le nœud, j'inscris au stylo, sur la petite étiquette du couturier, mon numéro de téléphone. Je roule alors l'objet et le fais disparaître dans ma main. Elle sait, elle a vu, elle ne refusera pas. En sortant, et sans que personne s'aperçoive de rien, je lui tends la cravate enroulée, qu'elle accepte sans broncher, et l'enferme aussitôt dans sa main.

– Bravo, dis-je. Et la suite, Walser, vous êtes amoureux ?

– Le lendemain elle appelait, me communiquait son numéro et, je vous le donne en mille ? Elle dit : "J'aime-

rais avoir une photo de vous!" Là, j'ai trouvé que c'était beaucoup, qu'elle était définitivement bécasse et ne l'ai pas rappelée.
– Vous l'aimez cet oiseau! »

2

Irène vint habiter chez moi et ne passa plus dans son studio de la banlieue sud, que pour y chercher des vêtements de rechange, des uniformes de travail, régler les affaires courantes du téléphone, de la sécu, de l'électricité et prendre connaissance de son courrier. Mon appartement étant trop étroit pour y vivre confortablement à deux, nous nous mîmes alors à suivre les petites annonces du *Figaro*, à téléphoner à des agences, à consulter le minitel. Pour le ciel et la lumière, nous voulions un dernier étage et concentrions nos efforts sur les deux ou trois arrondissements qui nous permettraient de continuer à circuler à pied, le soir, pour nous rendre au cinéma ou fréquenter nos restaurants préférés.

Irène dit... « Il y aurait un dressing pour que nos vêtements ne soient pas entassés dans des armoires, une petite pièce pour que je puisse installer un labo photo, une chambre commune, il n'est pas question de dormir dans des pièces séparées, il te faudrait un bureau pour travailler, une pièce pour moi et vivre ma vie quand tu serais en train d'écrire, où je puisse écouter de la musique sans te déranger, regarder des cassettes vidéo, il y aurait de la moquette claire pour toutes les pièces, sauf dans la mienne où j'aimerais un bleu outremer ou un noir ébène, des murs blancs, dépouillés, mais une grande bibliothèque-discothèque, dans le salon il y aurait une cheminée et une statue de Giacometti, nous accrocherions les tableaux d'Aki Kuroda que tu entasses dans ton armoire, les lithographies de Bilal et celle de Dali que je me suis achetée avec mon premier job, je t'offrirais une orchidée *Dracula radiata* de Colombie, le temps serait lent à passer et je lirais, je réapprendrais tout ce que j'ai oublié pour que tu ne t'énerves plus quand j'ignore des choses que tout le monde connaît, je tiendrais un journal que tu pourrais lire quand je serais absente, que tu saches ce que je pense de toi, que tu découvres les mots que je ne veux pas te dire quand tu me regardes, nous aurions une femme de ménage, mais je m'occuperais de la maison, je le ferais très bien, notre linge serait mélangé dans la corbeille et je m'occuperais des machines à laver, je repasserais, j'adore ça, et tous les cols de tes chemises de sortie seraient amidonnés, je ferais moi-même les rideaux de la maison avec de la tarlatane, du tussor et de la soie sauvage, tu sais avec des petits bourrelets, je préparerais des tartes que ta mère m'apprendrait à faire, il y aurait une vraie cuisine avec des accessoires en inox brillant, un grille-pain quatre tranches *Magimix*, un fouet ballon, un rouleau cannelé, une écumoire, un zesteur, une mesure à café, et aussi la Rolls des cuisinières, une *La Cornue* bleu roi, avec les boutons en laiton, nous irions choisir des dessus-de-lit anglais, des couvertures en shetland, à la *Conran Shop* et au *Kitchen Bazaar*, le soir, je poserais sur la platine laser le CD qui contient tous les bruits de vagues des océans du monde, tu me caresserais les cheveux comme le faisait ma mère, tu t'endormirais dans mes bras, sans somnifères, sans boules Quiès, la vie serait paisible, nous ferions enfin le tour du monde que tu m'as promis, un an d'absence ou peut-être toute la vie, à apprendre des autres, à observer, à se gonfler d'images que nous pourrions raconter à l'enfant que tu m'as aussi promis... J'ai oublié quelque chose ? »

3

Un jour, Irène partit à la Fnac acheter des disques. Elle revint avec des livres...

« J'avais dans les mains le dernier Massive Attack, Gary Moore et Chris Isaak et lorsque je me suis trouvée à la caisse, j'ai pensé qu'il n'y avait pas urgence. Je suis retournée vers le rayon livres prendre à la place *le Monde de Sophie* et, en souvenir du Japon, *le Pavillon d'or* de Mishima et *les Belles endormies* de Kawabata. Tu vois, j'ai tout retenu de ce que tu m'as appris là-bas. En plus, j'ai une surprise pour toi. J'ai été au rayon classique... Tu m'avais dit un jour avoir longtemps cherché la musique de Prokofiev dont s'était inspiré Sting dans *Russians*. J'ai cherché, j'ai demandé et j'ai trouvé. Voilà. Cela s'appelle *le Lieutenant Kijé*. »

Nous avions nos itinéraires du soir et ceux du matin, nos restaurants favoris, *La Casa Bini*, *La Botha*, *Le Tsukizi* et *L'Orient Extrême*, la terrasse du *Caveau du Palais*, *le Balzar*, *le Bistrot de la Grille*, nous quittions souvent Paris pour la Touraine ou la Normandie. J'attendais le retour d'Irène pour prendre à nouveau du plaisir à marcher, traverser la Seine et la regarder évoluer à mes côtés. A la fin du printemps, nous fîmes les boutiques de couturiers et je pus la voir habillée en Christian Lacroix et en Paco Rabanne, nous achetâmes des chaussures à talons chez Pietro di Roma, un sac noir chez Sonia Rykiel, des parfums d'Annick Gouthal...

Irène s'était mise à dévorer les livres repérés dans les

vitrines de libraires, n'avait plus le désir de sortir à tout prix le soir en escale, jugeait minables les plaisanteries du genre *on jette la fille dans la piscine et on rit beaucoup*, elle apprenait à vivre de l'intérieur sans avoir sans cesse à s'offrir en spectacle pour que ses amis s'intéressent à elle... Elle se fabriquait une culture, renouait avec des valeurs oubliées ou qu'elle découvrait, trouvait un équilibre, encore précaire, entre des aspirations que jusque-là elle ne s'était pas donné les moyens d'atteindre, prise par les tourbillons de son instabilité et son impatience maladive à toujours désirer être ailleurs que là où elle se trouvait.

4 / Les plis du monde.

A la manière de tous les objets célestes, les astres, les planètes, qui incurvent ce que les astrophysiciens nomment la matière espace-temps, chaque existence plie le monde. La trace de ton existence, Irène, sera une longue pliure qui traversera chaque point où tu te seras rendue au cours de ta vie. En revanche, si à chaque fois, tu n'as pas pris la précaution, le temps de savoir pourquoi tu étais là, d'où tu arrivais et où tes pieds allaient te conduire, rien ne restera de ton passage et le pli de ta vie sera effacé. C'est-à-dire, si tu es sans mémoire, sans projet et sans appartenance à l'instant qui te fait vivre, tu glisseras à la surface de la terre, pour un jour disparaître, sans l'avoir même effleurée.

5

Irène avait fait agrandir quelques-unes des photos de notre cérémonie de fiançailles et en avait envoyé une à son père, qu'elle n'avait pas revu depuis la mort de Lucia. J'avais exposé la mienne, sur mon bureau, à côté des trois statuettes de Vladimir, et la regardais souvent comme un rêve, et pourtant une réalité, puisque j'en portais le symbole à mon annulaire.

Elle avait attendu de pouvoir grouper plusieurs jours de repos pour descendre à Aix, revoir son père. Elle s'y rendrait seule et je la rejoindrais. L'avant-veille de son départ, Irène est quelque part entre Dublin, Bordeaux et Strasbourg... Dans les airs. Je descends de chez moi, prends mon courrier et vais rejoindre Walser à une terrasse de café. Il fait grand soleil, il vient de voir Landsdorff qui, paraît-il, a quelque chose d'intéressant à me proposer « et que vous ne pourrez pas refuser », dit Walser. « Si c'est de l'argent, il est le bienvenu, car depuis un an, je dépense plus que je ne gagne », lui dis-je.

Des voitures tout autour, un samedi matin, et ce genre de journée parisienne qui fait envahir le moindre bout de terrasse ensoleillé comme si la mer était à proximité. Walser me demande comment Irène vit le fait d'être aussi inconfortablement installée entre deux mondes opposés. « Celui dans lequel elle travaille et celui qui est le vôtre, celui du voyage au Japon et des palaces. » « Ces derniers temps, dis-je, elle rejette violemment le sien qu'elle juge médiocre, *superficiel et futile* et dans lequel elle ne se reconnaît plus. » « Soyez vigilant, dit Walser, il faut qu'elle se trouve un lieu et un univers où elle se sente bien, et avec vous à ses côtés. Elle ne parviendra pas des mois et des mois à faire le grand écart. Il se pourrait même qu'un jour, pour des raisons qui nous paraîtront obscures, elle rejette votre monde qu'elle jugera, en son temps, narcissique, *superficiel et futile.* »

Je savais cela et essayais de résoudre cette partie de notre avenir de manière qu'elle puisse quitter son travail et être assurée d'un emploi où elle pourrait se plaire et s'épanouir, et pourquoi pas, exceller. Plusieurs fois, elle m'affirma reconnaître, sans effort, cinq ou six parfums que portaient passagers ou passagères, sur chacun de ses vols. Elle n'imaginait même pas que ce genre de talent pouvait déboucher sur un métier.

J'achetai, comme un jeu, une petite valise à parfums contenant vingt essences, clou de girofle, fumé, jasmin, poivron vert... A l'aveugle, elle en reconnut quinze, et moi neuf. Petit ou grand talent, rien n'était certain. Un don, oui. De mon côté, je me mis à la recherche des écoles et des stages possibles...

J'en étais là de mes réflexions, le café venait d'être servi et machinalement j'ouvris mon courrier. Une lettre parvenue chez moi, via mon éditeur. A l'intérieur, un fax, l'écriture d'Irène. Les derniers mots, avant signature : *je te désire.* Les premiers, un prénom qui n'est pas le mien et : *Je suis triste, tu n'es pas là et j'écoute la musique de l'Amant...*

Walser s'aperçoit de mon trouble et me demande si ça

va. Je lui tends la lettre. « C'est daté du 25 octobre dernier, c'est son histoire avec le pilote, me dit-il.

– Mais Walser, elle lui écrit les mêmes mots qu'à moi et, à cette date, nous étions ensemble. Lisez... *ma raison s'envole et ma tête chavire... Tes caresses si bien dirigées me manquent...* Elle m'a écrit aussi ces mots-là, Walser, les mêmes ! De plus, c'est envoyé de chez moi, regardez le numéro d'expédition !

– Déchirez ! Tout ça, c'est de la merde. Ce ne peut être que le type qui se venge après avoir reçu la lettre de rupture du Japon. Il veut casser votre histoire. Banal.

– Mais qui est cette fille ? demandai-je à Walser. Qu'a-t-elle dans le cœur et dans la tête ?

– Probablement qu'elle ne le sait pas elle-même, répondit-il. Il ajouta : à cet instant, que signifie pour vous, aimer cette femme ?

– L'intranquillité... »

6

Révéler mon secret à Irène ? Elle vient de terminer ses bagages, ravie à l'idée de partir le lendemain retrouver son père, et que j'aille la rejoindre. Nous avons passé la journée ensemble. Je n'ai rien dit. Oublier ? Tout allait si bien depuis son retour ! Irène, différente, enfin en phase avec le réel, avec sa vie, avec la mienne. Et ce passé qui resurgit, non pas comme une vague information dont je me serais moqué, mais comme un fait. Et les faits sont têtus, ils émergent du brouillard des probables et des peut-être pour s'enfoncer à l'intérieur des têtes comme des clous et dire : regardez-moi dans ma réalité nue, je suis incontournable, irréfutable, et n'ai pas subi la mutation des mots qui me racontent : je suis ce qui a été.

C'est le soir. Je ne peux pas la laisser partir ainsi demain matin et rester engoncé dans mes angoisses et mes questions. Calmement, alors qu'elle est assise sur le divan, fume une cigarette – je ne vais pas jusqu'à mettre en musique de fond la bande originale de *l'Amant* –, je sors la lettre de ma poche, et sans plus de précaution : « Ecoute Irène, je vais te lire une lettre d'amour. » Je commence, lentement, détachant chaque mot, la regardant parfois entre deux phrases. Elle pâlit, je me sens cruel. Lorsque la lecture est terminée, je demande : « Quel sens ont les mots pour toi ? Quelle importance ont-ils, si on peut dire les mêmes à quelqu'un qui passe et à quelqu'un avec qui on veut un enfant ? Qui es-tu ?

La fiancée de la cérémonie ou la fille qui a écrit cette lettre ?

– Ta femme. »

7

Landsdorff avait forci, quelques cheveux blancs étaient apparus, mais peut-être ne les avais-je pas remarqués auparavant. Sur son bureau, restaient empilés des manuscrits dont certains étaient déjà là, me sembla-t-il, lors de ma dernière visite... « Je croyais qu'il te fallait la béatitude pour écrire... Tu te fiances au Japon, tu cherches un appartement, tu t'exhibes dans tous les restaurants de Paris et tu ne m'apportes rien. Pas une ligne. Un projet peut-être ? Le malheur était fatal à ton écriture, et finalement, le bonheur aussi. Moi, je signe des chèques à mes auteurs parce que j'aime les sentir suer, peiner lorsqu'ils rentrent chez eux. Ce combat avec les mots m'excite, tu comprends, c'est comme au temps des gladiateurs, je suis dans la foule et je veux que celui qui est mon champion sorte vainqueur des filets, des herses et des lions. Je crie, je hurle, je suis un fan de la lutte des autres. Mais toi, si j'ai bien écouté Walser, tu es anesthésié, tu fumes des cigares pendant que ta fille de l'air roucoule dans le ciel, tu écris trois lignes, puis re-cigare, les yeux au plafond. Tu crois réfléchir et ton cerveau est tout entier dans son sexe, c'est ça, n'est-ce pas ?

– Vous vous trompez infiniment, même s'il est évident que le sexe est grandement mêlé à tout ça...

– Le sexe est toujours le centre des passions, affirma Landsdorff.

– Vous vous trompez encore. Si l'explication n'était que là, où résiderait le mystère ? C'est autre chose de plus subtil et de plus gracieux qui tourne autour de l'idée d'harmonie. Un jour on rencontre celle qui joue votre musique, la même musique que vous, et lorsqu'à votre tour vous vous mettez à jouer, les instruments sont par miracle accordés, et l'ensemble est harmonieux... Le monde prend alors plaisir à écouter cette symphonie-là...

– Bref, dit Landsdorff... A partir de maintenant, vous m'écrivez dix pages chaque semaine! dix pages, c'est comme une nouvelle, ça ne vous fait pas peur, et en échange, un chèque. L'argent contre la souffrance, c'est moral. Dans vingt semaines nous avons un roman. Si on restait sur l'idée du *Prochain amour*?

– Quand vous m'avez parlé de ce titre, il y a deux ans, je n'avais pas rencontré Irène. Et mon prochain amour... C'était elle.

– Quelle assurance! Qui vous dit que c'est elle? D'ailleurs, le prochain amour n'existe pas, c'est un pur phantasme, et c'est pour cette raison qu'il faut en écrire le roman, afin que ça existe bien quelque part... »

J'acceptai sans déplaisir que Landsdorff me vouvoie à nouveau lorsqu'il me parlait contrat, et l'idée des dix pages me semblait, pour l'heure, à mes justes mesures.

8

Le père d'Irène m'expliqua longuement la recette de la paella. « Faites très attention au riz, pas plus de cinquante grammes par personne, parce que ça gonfle et souvent les gens oublient à quel point le riz gonfle ! » Je découvris pendant deux jours le dernier univers de Lucia et qui avait été aussi celui d'Irène, une petite maison dans la banlieue d'Aix, cernée de garrigue et de quelques vignes. De nombreux livres annotés et datés témoignaient de ses lectures adolescentes dont elle n'avait aucun souvenir. Elle avait décidé d'une surprise, pour moi, et je la vis coudre de longues bandelettes de satin blanc, avec la machine de sa mère. – Quel genre de surprise ? – Tu l'auras à notre retour...

Le deuxième soir, elle m'emmena faire une balade près d'un corral à chevaux. – C'est ici que je venais flirter... Mes premières amours... – Tu n'as pas de souvenirs à propos de cet endroit ? – Non, des flirts, je te dis.

C'est dans la chambre 31 de l'hôtel *L'Amirande* d'Avignon que nous passâmes les derniers moments de notre séjour. En rentrant d'une visite à Fontaine-de-Vaucluse, Irène évoqua de nouvelles difficultés financières. Je savais que pendant notre séparation, elle avait emprunté de l'argent à son amie Corinne et ne pouvais imaginer que ses ennuis perdurent. « Je ne te cache rien, viens chez moi vérifier mes comptes, tu verras, tout est clair. »

Près de l'abbaye de Sénanque, alors que le jour tombait, que les montagnes tout autour rendaient ce lieu vulnérable, en creux, prisonnier d'un décor trop grand, Irène me dit : « Tu as toujours louvoyé avec les autres femmes à propos des enfants, tu es certain que tu veux vraiment en faire un avec moi... Je ne suis pas très intelligente, peu cultivée, je t'ai trompé. En fait, je ne suis pas ta femme idéale. Pourquoi es-tu avec moi, tu en parles avec Walser et les autres, mais à moi, tu n'en parles pas. »

Bonne question, pensai-je. Et bon endroit pour la poser. Une cloche de l'abbaye retentit, comme un avertissement. « Parce que tu es le monde tel que je ne l'avais pas imaginé, dis-je à Irène... Et si je ne t'avais pas rencontrée, je serais incomplet et infirme de ce qui me serait demeuré caché à jamais, inculte moi aussi de cette partie des choses qui font souffrir, donnent du plaisir et posent au cœur les justes questions. »

9

Parfois l'amour est nomade. Un soir où nous avions itinéré de la cuisine à la chambre, puis sur le lit, pour finalement nous retrouver, Irène sur le piano et moi, face à elle, j'écrivis tard dans la nuit, pour son réveil à quatre heures le lendemain matin, un message à glisser dans ses bagages d'un jour...

« De l'amour pour traverser les airs, là où les étoiles s'enflamment... Pense au piano-love, aux empreintes restées sur le bois laqué, c'était un amour du jeudi 1er juin, un amour de deux êtres du monde qui, à cet instant, étaient le monde, les rivières et la nuit, la bruine et le vent, le torrent vert et blanc de Fontaine-de-Vaucluse... Deux corps attirés, attisés... Un peu de toi reste ici, un peu de moi part là où tu vas. Nous nous accompagnons, nous ne nous séparons pas. Refais ton histoire personnelle, retrouve et n'oublie rien de la petite fille ni de la jeune fille que tu étais, mélange-les à la femme d'aujourd'hui, elles ne sont ni mortes ni cachées dans un ravin d'oubli, elles sont là, tapies derrière tes yeux, derrière ta bouche, elles t'attendent pour que tu les serres dans tes bras et les emportes avec toi. »

10

La surprise préparée par Irène fut un fiasco. Nue, le corps traversé par une bande de satin blanc passant par ses seins, ses épaules et son sexe, elle s'était emballée d'une cellophane qui se fermait autour du cou par un gros ruban jaune. Faute de goût ? Cela m'atteignit plus profondément qu'un simple désagrément de passage.

J'eus droit, ce même jour, de consulter les comptes bancaires... Irène s'était surendettée durant le temps de notre séparation.

Après divers emprunts que j'ignorais, elle avait dépensé ce nouvel argent comme s'il était le sien. Le choc fut rude. « Tu as emprunté et reçu, en plus de tes salaires, plus de cinquante mille francs en trois mois C'est le prix d'une voiture, d'un petit studio en province, et tu as quoi ? Des culottes en soie, des pulls, des soutiens-gorge brodés et des bas de contention... »

Autour d'Irène, de nouvelles zones d'ombre se reconstituaient au fur et à mesure que disparaissaient les anciennes et, comme au jeu des poupées russes, un événement mineur, une fois décortiqué, laissait apparaître des sous-ensembles flous qui, à chaque fois révélés, me fragilisaient avant de m'anesthésier un peu plus.

Et si Irène dilapidait ses sentiments comme son argent, au hasard des boutiques et des regards d'hommes : J'entre, je dépense... Un sourire et je me trouble !

Des pas lents vers la mort

6

1 / Le prochain amour.

Vous arriverez aux alentours de ma vie en fin de journée. C'est vers cette heure que les rêves de jour se transforment en rêves de nuit. Il serait d'usage que je vienne effleurer une partie de votre corps, le dessus de votre main ou votre poignet. Mais il n'y aura rien de tout cela parce que la peau qui touche une autre peau est le signe d'un début, alors que les yeux disent, déjà, que l'histoire a commencé bien avant la rencontre de cette fin de journée, qu'elle circulait sur les rails des tramways, dans les coursives des bateaux, sur les essieux en titane des trains à grande vitesse.

L'amour commence toujours dans le monde avant de naître dans le corps des hommes et dans le corps des femmes.

A cet instant, vous dormez. Vous vous êtes assoupie sur l'épaule d'un homme et vous tenez encore son sexe dans votre main. L'homme qui dort auprès de vous est fatigué. Il a dit une fois qu'il vous aimait. Ce jour-là, vous avez fait une croix au crayon de papier sur votre agenda. Mais contrairement à lui, ce mot aimer ne vous fait pas peur. Il n'a rien de magique, il ressemble à j'ai faim, j'ai soif, à partons il est tard. Vous le prononcez sans retenue ni économie, c'est un mot – même si le plus souvent vous le chuchotez – qui n'exprime qu'un état éphémère de votre disponibilité à l'égard d'une personne et ne renferme aucune durée.

Vous rêvez que jamais vous ne quitterez cet homme. Si, juste avant de tomber dans le sommeil, vous avez pleuré, c'est simplement que vous aviez besoin d'une once de malheur pour être bien, encore, avec l'homme qui dort. Vous y tenez à ces griffures et à ces éclats de voix. Ce sont ce que vous appelez vos rappels archaïques. Les larmes et l'angoisse de perdre l'homme qui est auprès de vous, vous ramènent sans cesse à votre corps et à votre vie. Sans eux, vous vous sentez perdue. C'est comme si l'oxygène n'était plus l'oxygène et que votre peau soit devenue une combinaison sanitaire, imperméable aux tourments. Vous avez besoin de ces piques qui vous blessent, le temps de reprendre contact avec l'existence. Comme chacun, vous croyez la vie accrochée dur comme fer à toute votre personne. La plupart du temps, la vie est absente des corps, elle est autour d'eux, les surveille mais elle ne fait que veiller à l'essentiel et les corps se débrouillent. Ils savent par cœur les gestes à accomplir pour simuler l'action et le mouvement. Les muscles travaillent sans commande, les programmes génétiques s'exécutent sans votre volonté et c'est ainsi que parfois, vous vous êtes oubliée.

Vous êtes jeune. Un jour vous ne saviez plus ce qu'était votre désir. Ce jour n'est pas ancien et vous en avez un souvenir extrêmement précis. Vous étiez en plein centre-ville. Des voitures, des bus tout autour de vous et un bruit qui faisait mal derrière la tête, juste au-dessus de la nuque. Quelqu'un vous a alors appelée de l'autre côté de la rue, vous avez cru reconnaître cet homme qui vous hélait au milieu du fracas et du flux de la circulation. Vous vous êtes précipitée vers lui. Le choc, vous vous en souvenez, fut très violent. Lorsque le capharnaüm s'est tu, on aurait dit que la bande-son d'une ville venait d'être coupée. C'était une sorte de respiration retenue, un silence avant que le jeu soit autorisé à recommencer. Lorsque la rumeur fut à nouveau là, vous avez aperçu une jeune femme allongée en plein boulevard et une voiture bleue auprès d'elle avec des traces de sang sur la carrosserie. C'est ce rouge et ce bleu qui vous ont aussitôt impressionnée. La jeune femme est restée étendue et l'homme qui vous avait fait signe était penché au-dessus d'elle. Sa pochette blanche en soie pendait sur sa veste. L'homme ne vous regardait pas, il n'avait d'yeux et de pleurs que pour la femme étendue et qui vous ressemblait. Tard dans la soirée, vous pensiez encore à elle. Et le lendemain matin, et des semaines encore, vous avez songé à la morte du boulevard. Ce n'est qu'à partir de là que vous êtes devenue attentive à votre respiration, à votre pouls, à vos larmes, à vos crève-cœur. Vous avez su qu'il fallait sans cesse avoir une souciance inflexible pour tout ce qui semble aller de soi...

Je continuai sur une dizaine de pages et apportai le tout à Landsdorff qui jeta un œil distrait sur le début, puis glissa l'ensemble dans une chemise à élastique. Au feutre, il inscrivit mon nom et, en italique : *le Prochain Amour*. « Comme prévu, donnant donnant, dit-il. Voici ton chèque. J'attends dix autres pages la semaine prochaine et re-chèque. On est d'accord? »

On était d'accord.

2 / Le prochain amour (suite).

La semaine suivante, je n'avais rien écrit de plus que ce que j'avais déjà apporté à Landsdorff. N'ayant d'autre alternative, je décidai d'imprimer les dix mêmes pages et, très sûr de moi, entrai dans le bureau de mon éditeur, lui donnai le petit paquet de feuilles qu'il glissa dans la chemise à élastique et il me remit mon chèque. Il me complimenta rapidement sur ce que je lui avais apporté huit jours avant et me demanda d'être plus concret. Je lui affirmai que c'était ainsi que je le concevais et que déjà dans ce que je lui remettais aujourd'hui, un personnage de femme idéale et absolue avait pris forme. « Si vous le voulez bien nous regarderons tout cela, une fois terminé », dis-je à Landsdorff. « C'est un sacré service que je vous rends, me dit-il, l'air de rien, avec vos dix pages semaine, nous avons un livre à la fin de l'année... »

Je n'étais pas fier de moi, mais le temps de me retourner, je parviendrais à lui donner un texte qui lui ferait oublier mon escroquerie. D'ailleurs, il ne tenait qu'à lui de la découvrir en lisant ce que je venais de lui apporter. Sans réaction de sa part, je décidai de continuer, durant les semaines qui allaient suivre, de lui apporter, à chaque fois, les dix mêmes pages.

3

La mue d'Irène est lente, mais effective. « Il faut que je trouve ma nouvelle personnalité », dit-elle régulièrement. Elle est belle, rayonne, faiblit cependant sur ses lectures et piétine à la page trente du *Monde de Sophie*, mais épate des amis qui nous invitent à un anniversaire sur un voilier parti de Honfleur par son plaisir naïf, entier, non dissimulé, à profiter de tout, du sillage du bateau, de la beauté des cordages, du vent dans ses cheveux... Elle est partout sur le bateau, photographie, ferme les yeux et rejette la tête en arrière pour jouir du moindre claquement de voile...

A chacun des mini-congés d'Irène, deux jours, trois jours, nous fuyons Paris pour nous retrouver à l'intérieur de parenthèses luxueuses, seuls au milieu de gens qui nous ignorent et que nous ne connaissons pas. Pourtant, lorsque nous nous éclipsons un soir d'un dîner à la terrasse d'un château, je sais que les convives la regardent, jambes nues et tailleur court, s'éloigner à mes côtés, traverser le parc, à l'opposé des pâles lumières des chandeliers, pour rejoindre l'obscurité. Nous faisons l'amour sur un transat abandonné, sous les étoiles d'une nuit d'été et réapparaissons, innocents, à l'heure des cafés.

Nous sommes allés au bord de la mer du Japon, de l'Atlantique, de la Manche, dans l'arrière-pays niçois, en Provence, en Touraine, Irène veut que nous fassions connaissance, ensemble, de la Méditerranée.

Nous nous rendons au Lavandou, à une centaine de

mètres de l'endroit où j'étais venu, exactement deux ans plus tôt avec Walser, juste avant de rencontrer Irène.

Un superbe hôtel face à la mer, en bordure de rochers et entouré d'eucalyptus. Harmonie entre un décor, une femme et une histoire. De notre chambre, la vue est à l'infini vers le large, le bleu et l'horizon. Irène est toute en légèreté, et j'entends son corps vibrer, entrer en résonance avec l'impalpable beauté du lieu, alors que les pesanteurs qui nous ont accablés semblent, elles, s'être noyées, comme un trésor maléfique qu'un ange gardien flibustier aurait largué au fond des ténèbres.

Retrouver cet endroit qui cerne mon histoire amoureuse d'aujourd'hui m'incite à songer au roman non écrit pendant les années Irène. Quelle fêlure de mon cerveau a laissé fuir ce qu'il recevait, l'amour, le désarroi, l'infini paysage d'Irène apportant exaltation et désolation, jamais l'indifférence, sans aussitôt le transmuer en mots et émotions ? L'énergie est-elle à ce point comptabilisée dans une vie qu'elle ne nous laisse qu'une possibilité, celle du choix et jamais celle du cumul : ou les gestes de l'amour, ou les mots pour les décrire ? Ou les sentiments, ou la phrase qui en trouve les secrets ?

Quel subtil étranglement a empêché que tant de désordre ne puisse se transformer en l'ordre des chapitres ?

4

Irène nageait en direction d'un voilier amarré face à notre hôtel, j'étais resté étendu au bord de l'eau, sous un parasol.

A côté, un petit garçon appelé Ulysse parlait, accroupi sur le sable, avec une jeune fille d'une vingtaine d'années qui semblait être la gardienne de ses turbulences et se prénommait Nina. Je refermai les yeux pour mieux les entendre et devinai rapidement que le père de l'enfant venait de mourir.

Ulysse demanda à Nina ce que c'était qu'*un père*. J'étais surpris et sans doute la jeune fille également. Ah bon. Il ne demande pas qui était *son père*. J'entendis Nina tirer sur sa paille et faire un gargouillis avec son breuvage. Puis elle dit au jeune garçon : « Un père, c'est comment dire... ? C'est une vie avec plein de choses qu'on nomme joies, larmes, élans, énervements, impatience. Ce sont des rencontres avec des êtres et avec des choses. La vie, c'est aussi la surprise, tu t'imagines un jour face à un tamanoir avec un nez grand comme une durite de voiture, un long truc tout mou et qui touille dans les fourmilières ? C'est exactement ça la vie : rencontrer un tamanoir et ne jamais se lasser d'être étonné. Après, c'est un livre qui surprend, la voix d'une femme, un mensonge... Un père, c'est beaucoup de larmes aussi. Celles qui coulent sur les joues, celles qui restent enfouies à l'intérieur, des larmes qui se cachent à cause de la honte, de l'orgueil, de la fatigue. Un jour, il y a une fatigue des larmes et les hommes ne pleurent plus. C'est étrange, n'est-ce pas, que des émotions qui semblent faire partie à jamais d'un corps et d'une pensée puissent disparaître... »

Nina se tut un instant et je pensai qu'il faudrait encore dire comment il a fumé sa première cigarette, comment il est entré dans le corps d'une femme pour qu'il y ait Ulysse, évoquer aussi le soleil qui a caressé sa peau... Peut-être, avait-il glissé sur une flaque d'essence, le jour de son premier voyage en avion, un Paris/Varsovie en Iliouchine quatre hélices...

Nina se décida : « Ton père écrivait des romans, Ulysse, pour apprendre à connaître les hommes et le monde, mais surtout pour le plaisir. Il aimait l'encre noire, les piles de papier sur sa table, la pièce en ordre, les mini-ordinateurs, les cigares de Cuba, les livres où on souligne les phrases qu'il faudrait retenir pour que la vie bifurque... *Invente un chemin à tes pieds...* » Nina se tut.

Je me dis qu'il faudrait ajouter :

« C'est un père qui ne pensait pas à toi avant ta naissance, il ne rêvait pas de toi piaillant et exigeant, il aimait surtout un sexe de femme, le lécher, le caresser, le pénétrer, il aimait ce sexe à vouloir mourir étouffé ou s'endormir avec cette bouche de femme collée à sa bouche à lui, pour que les cauchemars se taisent. Il aimait cette odeur d'étrangeté frôler sa langue et ses lèvres... »

Ulysse demanda : « Ça veut dire quoi : *Invente un chemin à tes pieds* ? Est-ce que c'est fabriquer des routes et des escaliers pour sortir des maisons et aller au supermarché ? »

Manifestement, Nina n'avait pas prévu la question et resta un moment à réfléchir. J'entrouvris les yeux pour regarder leurs visages et me décidai à visiter leur joli monde. Je dis : « C'est travailler sans cesse pour que nos rêves les plus beaux fassent leur entrée dans nos vies. »

Ulysse me dit qu'il priait souvent le bon Dieu, à genoux, avec parfois un caillou sous chaque genou, pour que ses plus beaux vœux soient exaucés. Nina se moqua et le petit garçon conclut en déclarant à la jeune fille : « Cet après-midi, j'ai appris à m'étonner. »

Ils se levèrent et m'abandonnèrent là pour se diriger vers la mer.

5

Nous fîmes, durant l'été, trois voyages vers ce lieu d'harmonie, où notre amour se nourrissait de l'équilibre des choses. Le bruit des vagues nous berçait chaque soir et, amants comblés, nous nous endormions dans les bras l'un de l'autre. Comme chaque nuit, depuis plusieurs semaines, je m'éveillais en même temps que l'aube. Alors qu'Irène restait prisonnière de ses rêves, ces réveils me rendaient à une solitude où je percevais avec acuité la faille cruelle qui me séparait autant de moi que de mon histoire amoureuse.

De moi, il ne restait rien.

Afin de mêler ma vie à celle d'Irène, j'étais sorti de ma propre existence pour en fabriquer une autre, possible, pouvant se marier à ce que j'imaginais être celle d'Irène.

Un après-midi, elle jouait et dansait dans l'eau, en contrebas de notre balcon. Je la regardais rendre belles, par la grâce des mouvements de son corps, la piscine et la mer. Je téléphonai à Walser.

« Un jour, je vais me fracasser contre Irène, lui dis-je. Puisque je ne peux envisager l'idée qu'elle puisse me quitter, ou moi de la fuir, je me sens condamné à la choyer et à mourir à petit feu auprès d'elle, en me regardant m'éloigner de moi. Je me suis perdu il y a longtemps, je ne sais plus dans quelle forêt ni à quelle intersection de ma vie un chemin mauvais a été pris. Que ce soit clair, Walser, j'aime par-dessus tout cette femme, je veux continuer à l'aimer, à la protéger, à lui enseigner ce qu'elle ignore, à connaître et découvrir avec elle toutes les beautés du monde, à m'enfouir en elle, mais je vous dis, tout aussi tranquillement et sans affectation, que je vais mourir, dans un mois, dans un an, et que je n'entrevois pas de résurrection possible puisque le monde qui était le mien est en ruines et moribond. Voyez, je suis tout juste capable d'écrire dix pages à toute vitesse pour Landsdorff afin d'obtenir l'argent nécessaire à régler nos dépenses somptuaires, capable encore de photocopier ce maigre talent pour le faire croire plus grand... Depuis le jour où elle m'a exhibé ses comptes délirants et infligé cette surprise pénible d'une Irène en paquet-cadeau, je ne dors plus que quatre ou cinq heures par nuit. Pourquoi ces deux chocs simultanés ont-ils reçu tant d'écho de ma part ? Que lui dire, la faire douter de ma force et la regarder s'enfuir loin de moi avec le premier bellâtre qui passe ? Par ma faute ou la sienne, qui peut savoir, je ne trouve pas auprès d'elle la tranquillité d'esprit qui porte à s'extraire du monde pour se retrouver lové à l'intérieur de soi, pareil à un détective observant les coins et recoins où se terrent nos énigmes... Je ne peux faire ce trajet qui mène à moi et à mon salut, tant je suis préoccupé par tout ce qui mène à Irène...

Mais je vous dis tout cela, Walser, alors que le ciel est d'un limpide parfait, que la Méditerranée est magnifique, et Irène, plus belle encore !

– J'allais vous appeler, lorsque le téléphone a sonné. Vladimir va mal. Allez vite le voir lorsque vous rentrerez. » Il raccrocha.

Irène vint me rejoindre et me dit, en prenant une douche pour enlever le sel de sa peau : « Je suis heureuse, et ce monde avec toi me va bien ! »

6 / Une parole.

Ce monde avec moi qui te va bien, Irène, est un territoire auquel personne n'a accès. Ce lieu de secrets est limité à ton corps et au mien, et aux infinis messages que nous nous sommes délivrés au cours de notre marche commune dans le temps. Cette histoire est dans le monde et hors du monde. Elle est inscrite en lui parce que nous continuons de vivre au milieu des autres, et elle est hors de lui parce que chacun des endroits où nous nous tenons serrés l'un contre l'autre est un *sanctuaire*, un lieu de passage entre la terre et le ciel que nous sommes seuls à traverser car personne d'autre que toi et moi ne connaît la porte conduisant au mystère qui nous relie.

Ce monde a commencé en temps et en lieu, au jour de notre rencontre, dans un avion, il s'est étendu jusqu'au bord de la mer du Japon où un prêtre a consigné nos serments, il est ici, lorsque nous sommes à regarder les étoiles et les vagues de la mer.

Ce monde qui te va bien contient ton histoire et la mienne. Aussi mystérieux que le silence des églises, il est *une parole* que personne ne nous a apprise et que pourtant, toi et moi, sommes seuls à comprendre.

7

C'est Roberta qui vint m'ouvrir dans l'appartement du boulevard Richard-Lenoir. « Pendant quinze ans, dit-elle, j'ai fait semblant de l'avoir oublié, j'ai fait semblant de vivre heureuse sans lui... On n'est jamais tourmenté par les vivants, c'est toujours lorsqu'ils meurent que les regrets nous assaillent... »

Elle me fit entrer dans la chambre de Vladimir. Il était couché, avec sur son lit des cartes postales, le plan d'une ville, et une photo de Roberta et lui devant le jet d'eau du lac de Genève. Vladimir sourit à mon arrivée, me dit, je vous attendais... Je l'embrassai. Il continua : « Regardez, il fait soleil et pourtant je sens la neige et le verglas entrer à l'intérieur. Mes cheveux tombent, mes paupières tombent, mes joues tombent... La fatigue, ça entraîne vers la terre. »

Roberta prit un deuxième oreiller pour qu'il puisse s'asseoir et elle nous laissa. « Quand on vieillit, me dit-il, on devient fou. Pas fou de ses souvenirs, mais de n'avoir plus que des mots pour parler des élans, des larmes, des jalousies et de l'amour à crever. Il y a un marécage qui est venu prendre la place de la mémoire et alors, dans ces eaux troubles se sont enfoncées nos histoires. Seul le hasard fait remonter à la surface, de temps à autre, un petit morceau d'existence pourri et on dit : mon Dieu, qu'est-ce que j'ai pu l'aimer cette femme ! Mais on sait bien qu'il n'y a plus que la bouche pour évoquer ce nœud de drames vécu un jour, il y a longtemps, et que les corps ne tremblent de rien, sinon de froid. »

Mon cher vieil ami... « Je vous ai apporté un cadeau », dis-je, et je lui tendis la mince enveloppe que j'avais dissimulée à son regard. Ce n'était qu'une lettre trouvée chez un marchand spécialisé, mais pas n'importe laquelle, une lettre autographe de Tourgueniev à Flaubert qui disait, entre autres... *Ecrire est un enfer, ne pas écrire est un enfer. De quelle mince pellicule est tissé notre bonheur ?* « Je vous remercie, me dit Vladimir... Vous vous souveniez que j'aimais Tourgueniev, je ne vous en ai parlé pourtant qu'une seule fois, lors d'une de nos nombreuses parties d'échecs. Je vous avais dit à peu près : il sait écrire sur l'indicible mouvement des âmes blessées... Comment va ma jolie partenaire de paso-doble ? » « Elle va, dis-je, elle refaçonne sa vie, elle apprend, elle prend goût au bonheur... Figurez-vous qu'elle s'est trouvé un don pour les parfums ! » « Ce serait bon pour elle, comme pour vous, qu'elle cesse son métier de chien. Elle atterrirait enfin pour quelque part... »

Vladimir n'avait pas tout à fait perdu son humour, mais je sentais la brisure. Au regard, c'est là que s'inscrivent le désarroi et le sentiment désormais inutile de s'enquérir du devenir des choses.

Roberta frappa doucement à la porte et entra avec un plateau à thé.

8

La secrétaire de Landsdorff glissa mes dix *nouvelles* pages dans la chemise à élastique qui s'était, depuis ma première livraison, bien épaissie, et je pus constater, sans déplaisir, que mon pseudo-roman prenait tournure. Le retour de vacances de mon éditeur étant imminent, je m'attelai tous les jours à mon *Powerbook* pour trouver un début d'histoire qui me sauverait au cas où une curiosité inhabituelle lui ferait découvrir que *le Prochain Amour* n'existait pas. Seules quelques phrases et des esquisses glissèrent de mes doigts, mais rien qui entraîne à l'aveugle vers une aventure des mots.

Irène prit un joli nombre de résolutions de rentrée. Gymnastique, inscription à un cours de danse aquatique, arrêt de la cigarette, contacts avec les écoles de parfum et des entreprises pour d'éventuels stages de formation. Je la vis s'activer à chacune de ses escales chez moi, téléphone, minitel, fichiers... Elle continuait, le matin de ses départs, de m'écrire des mots qu'elle signait *griotte* ou *cabri*, le dernier surnom que je lui avais inventé, puisque c'était l'animal dans lequel elle souhaitait être réincarnée... *Mon cabri infini*...

Un jour d'inquiétude, je lui demandai si elle se souvenait que nous étions fiancés. Comme une litanie, elle me répéta son engagement, tu es l'homme que j'ai choisi, et je veux que tu sois le père de mon enfant. Merci Irène, j'étais rassuré.

Nous avions visité une vingtaine d'appartements et je sentis soudain une impatience nouvelle. « Des amies de travail m'ont affirmé que si tu voulais vraiment vivre avec moi, tu aurais déjà trouvé... »

« Walser, j'aimerais tant pouvoir commencer un roman avec Irène à mes côtés, qu'elle sache ce qu'est mon travail. Depuis que nous sommes ensemble elle n'a connu qu'un dilettante de l'écriture, qui griffonne par-ci par-là des textes, mais elle ne sait pas ce qu'est un livre en train de s'écrire. J'aimerais, lorsqu'elle revient de vol, pouvoir lui faire lire cinq, dix pages d'un roman en progrès, qu'elle commente, s'amuse, s'émeuve, qu'elle sente que ces pages inventées pendant son absence sont toutes remplies d'elle et de son extrême présence... J'y suis parvenu avec d'autres, pourquoi pas avec elle?

– Avec elle, tout est inédit... » répondit Walser.

« Mon travail me dégoûte, je suis une bonniche, on m'humilie à chaque instant, dit Irène, je suis exténuée... D'ailleurs, le jour où j'ai été embauchée, la femme des recrutements m'avait prévenue, c'est un métier où l'on régresse, méfiez-vous! Je régresse, je n'avance pas, je me sens inutile... »

Irène entrerait-elle à nouveau en dépression? Pourtant, elle me répète qu'elle s'est faite à la mort de Lucia, qu'elle y pense chaque jour, mais que cette absence définitive fait désormais partie de l'ordinaire de sa vie.

Sans lui en parler, et pour qu'il ne puisse y avoir de désillusion en cas d'impossibilité, je déjeune avec une des relations de Walser, un homme lié au monde de la parfumerie. Nous tombons d'accord sur l'idée d'un stage rémunéré au premier trimestre de l'année à venir. Je fais rapidement le calcul : d'ici là, nous aurons trouvé un appartement et Irène n'aura plus, par conséquent, de loyer à sortir chaque mois. Pour qu'elle retrouve l'équivalent de son salaire actuel, il suffira que je donne un coup de pouce, et ainsi rétribuer Irène qui s'occuperait du courrier, de la pré-comptabilité, des discussions avec les éditeurs étrangers (elle parle anglais et espagnol). Surtout, qu'elle garde son autonomie financière et ne se sente pas prisonnière de l'argent d'un homme. Elle apprendrait vite et pourrait remplir une partie des fonctions de Walser...

Tant la nouvelle m'attriste, j'avais même oublié de me l'annoncer : Walser me quittait en janvier prochain pour un avenir à la mesure de son talent.

9

A l'affût derrière les volets tirés, je guette l'arrivée d'Irène. On est dimanche, elle revient de Madrid, c'est le jour de son anniversaire. Cadeaux, bien sûr, et un gâteau aux griottes. Dès que je la vois traverser la place et tirer derrière elle son sac à roulettes, j'allume les bougies. J'avais préparé une boîte d'allumettes et un briquet pour accélérer la procédure afin que les vingt-neuf petites flammes soient prêtes lorsqu'elle ferait son entrée. Je photographie sa surprise... Parmi les cadeaux, un orgue de parfums contenant cinquante essences, deux livres sur le sujet, classification des parfums, fabrication, noms des plantes et méthodes pour mémoriser...

C'était une journée de septembre avec ciel clair et soleil. Une fois les bougies soufflées, j'ouvris les volets et la lumière nous envahit dignement. Irène glissa dans le lecteur un des compact-discs de l'intégrale Gainsbourg que je venais de lui offrir...

C'est moi qui t'ai suicidée
mon amour
je n'en valais pas la peine
tu sais
sans moi tu as décidé
un beau jour que tu t'en allais
Sorry angel...

Juste avant l'éternité

7

1

« Je me sens vieille, mes cheveux sont mal coupés, regarde les escaliers, on m'a dit que changer de coiffure changeait les idées, j'ai plein de pensées sombres, je me sens inintéressante, rassure-toi, je ne pense pas au suicide, mais c'est comme si ma vie était au chômage, pourtant j'étais remplie de vitalité, j'étais dynamique, de plus, j'ai encore maigri, mes seins diminuent, on m'en a fait la remarque, sur ma mauvaise mine aussi et mes jambes devenues minces, tu trouves toi que mes jambes ont changé, j'ai encore filé des bas avec ta bague de fiançailles, et puis ma mère est là à nouveau chaque soir, la nuit, quand je suis dans les hôtels, elle me manque plus que jamais, il me faudrait quelqu'un à qui me confier, quelqu'un qui me conseille, Corinne m'écoute mais elle n'a rien à me dire, je pensais que c'était ma meilleure amie, c'est une bonne copine, sans plus, elle est stricte et finalement conventionnelle, je ne suis à la hauteur de rien, même le backgammon ne m'intéresse plus, je ne lis plus, j'ai voulu m'arrêter de fumer, mais ce traitement au laser, c'est une escroquerie, j'en suis à nouveau à un paquet par jour, rien ne me passionne, j'envie ceux qui peuvent dire il y a une chose qui compte dans ma vie, même les parfums, je pressens que ça va être difficile, et ma voiture qui cafouille, un jour elle marche, le lendemain je suis à fond sur l'autoroute à moins de cent, pourquoi je ne réussis rien, pourquoi la malchance me colle à la peau, mon père me l'avait dit qu'on était né pour en baver, il avait raison, il y en a pourtant pour qui tout est facile... Je suis triste pour moi... »

2

Comme si une série de nœuds que je croyais s'être défaits venait brusquement de resurgir, sans raison apparente, Irène était en train de changer. Ce qui semblait aller de soi, il y a huit jours à peine, devenait irréalisable, impensable et, pour finir, n'était plus pour elle. Les choses avaient semblé à portée, et une étonnante tournure d'esprit venait de les renvoyer vers l'infini.

Après une soirée presque ordinaire où j'avais dîné en tête à tête avec Walser, et Irène avec deux de ses amis de l'aéronautique, dont une hôtesse qui avait le projet de s'installer aux Etats-Unis, nous nous rencontrâmes tous les cinq, par hasard, sur la place Saint-Michel. J'étais heureux de retrouver Irène plus tôt que prévu et, surtout, de la voir avec deux de ses amis. Nous décidâmes de prendre un dernier verre à la *Rhumerie*. Tout semblait paisible, je parlai avec la fille et le garçon, ainsi que Walser plein de prévenance envers Irène. Sur le chemin du retour, une fois seuls, Irène m'avoua qu'elle n'avait pas osé parler devant Walser, que la fille était beaucoup plus intelligente qu'elle, et que finalement elle ne se sentait à l'aise nulle part et que je m'étais trompé à son sujet, qu'elle ne méritait pas d'être aimée.

Elle ne voulut pas rentrer avec moi sur l'instant et prit sa voiture pour faire un tour dans Paris. Elle revint une demi-heure plus tard.

Le lendemain, même état d'esprit. Nous nous rendons à la terrasse du restaurant *La Palette*, en passant devant un café, malchance et hasard, une fille me fait de grands signes auxquels je réponds par d'infinis petits gestes étriqués. C'est Justine, que je n'avais plus revue depuis notre séparation. Aux questions d'Irène, je réponds, et aussitôt elle se lance, exaltée, sur l'incroyable beauté de Justine, son charme, la longueur de ses cheveux et me demande, une fois encore, ce que je fais avec elle qui est si quelconque. Je lui rappelle que je l'aime. Rien ne semble suffire.

Après le déjeuner, elle me quitte brusquement, disant qu'elle a besoin d'être seule. Je reste planté sur le trottoir à la regarder s'éloigner. Va-t-elle se retourner ? Il n'en est rien. J'ai le vague sentiment d'avoir déjà vécu cela et que le temps revient sur ses pas pour me faire retrouver l'Irène d'avant, capricieuse et véhémente, que rien ne peut raisonner. Elle me rejoint à l'appartement dix minutes plus tard et m'annonce qu'elle rentre chez elle : « Rien ne va, il faut que je me retrouve... »

Je pense alors que ses humeurs vagabondes n'auront pas de fin, et à cet instant, c'est moi qui suis triste pour nous.

3

Soirée silence. Le lendemain, un télégramme téléphoné. *Je pense à toi, je t'embrasse. Irène* (daté de la veille, 22 h). Elle appelle dans l'après-midi. « Je m'excuse pour hier. Sur l'autoroute, j'ai dû m'arrêter pour pleurer. Je m'en voulais tellement d'être comme ça. Je ne comprends pas ce qui m'arrive. » Je me veux rassurant, lui demande de parler, de ne pas garder les choses pour elle. Elle revient sur « avant j'étais dynamique... Mais c'était un faux entrain, lui dis-je, tu dépensais ton énergie à sortir chaque nuit jusqu'à cinq heures du matin, et tu me l'as dit toi-même, tu avais le sentiment de perdre ton temps à ne vivre que de superficialité. Tes numéros de séduction te rassuraient, mais quand tu te regardais, toi tu ne te séduisais pas... En fait, tu n'es plus cette fille que tu as inventée lorsque tu avais vingt ans, et tu n'es pas la femme que tu as rêvé d'être. Tu es prise entre deux images de toi, tu ne sais laquelle choisir, et cela te terrorise parce qu'il faut savoir qui l'on est, avant de pouvoir le devenir... De plus, dit Irène, je crois que je deviens folle, comme à chaque fois que je dois être opérée... J'ai l'impression de revivre l'an dernier ! »

Je n'avais pas oublié qu'elle subissait une intervention gynécologique bénigne à la fin de la semaine, avec anesthésie générale. « De dix minutes à peine », avait précisé le chirurgien.

Moi aussi, j'avais le sentiment de revivre quelque chose que je croyais définitivement impossible, l'angoisse de la sentir disparaître à nouveau pour des raisons qui m'échappaient. C'est dans le temps qui avait précédé l'opération de l'an dernier qu'elle avait eu la bonne idée de s'octroyer un amant. Je me demandai ce qui, dans sa vie amoureuse d'avant, avait pu la mettre dans un danger tel que, chaque fois que sexe et chirurgie étaient réunis, elle semblait se retrouver dans un dénuement affectif total.

Inconsciemment, je fus mis en alerte.

4

Les mots d'Irène furent différents.

Même sa gentillesse n'était plus celle à laquelle elle m'avait habitué ces derniers mois. Je mis ça sur le compte de l'état dépressif, qu'abondamment elle me décrivait chaque jour, et du deuil de Lucia qui n'avait, d'évidence, pu se résoudre en aussi peu de temps.

Je la conduisis à la clinique, attendis deux heures, et la retrouvai dans la chambre de réveil.

Je m'étais étonné qu'après une anesthésie générale elle n'ait pas eu droit à une ou deux journées de repos. Elle répondit qu'elle avait besoin d'argent, que c'est elle qui avait demandé à ne pas avoir de convalescence. Elle devait partir le lendemain pour un vol sur Marseille.

Je remarquai qu'elle avait emporté chez elle les tailleurs que je lui avais offerts, une chemise de nuit en soie, des paires de chaussures à talons, des boots, ses santiags, également.

Au moment de son départ, la regardant en uniforme avec son sac de voyage, je sentis une affreuse petite mort tournoyer au-dessus de nos têtes. Elle m'embrassa et s'en alla.

Le soir, vers minuit, en rentrant d'un dîner avec Walser et des amis à lui, j'écoutai mon répondeur. Un message d'Irène me précisait qu'il était inutile de l'appeler, qu'elle était dans une boîte de nuit à fêter un anniversaire, « mais tu peux m'envoyer un fax si tu veux », avait-elle ajouté. Merci Irène.

Alerte imprécise, opaque, sans objet.

Je décidai d'aller l'attendre devant chez elle, le lendemain, un bouquet d'iris et de freesias à la main, pour son retour de vol.

La nuit est tombée, elle m'aperçoit au dernier moment, juste après avoir fait un impeccable créneau pour garer sa voiture. Surprise, elle sourit et semble heureuse de me voir.

Pendant qu'elle prend sa douche, je m'allonge sur son lit. Je divague, pensai-je, quelques ennuis la perturbent, une période spleen, rien de plus. Une de ses vestes d'uniforme est accrochée sur un cintre, face au lit, à l'extérieur de la penderie. Autour du col, une cravate nouée. Lorsqu'elle revient vers moi en s'essuyant avec une grande serviette éponge, je lui désigne la cravate. « Il y a longtemps que je l'ai, je ne t'ai jamais montré les photos où je la porte ? J'aime bien mettre une cravate de temps en temps... » Je m'apprête à passer la nuit là. Nous buvons quelques verres, elle a mis un CD de René Aubry, *Après la pluie*.

Malaise. Plus aucune envie d'être là. A d'infimes détails, des gestes contenus, des phrases incomplètes, des regards las, je ressens le besoin de quitter ce lieu. « Je rentre chez moi ! » Je m'habille. Elle dit : « Je n'aime pas que tu roules la nuit avec cette voiture qui va si vite. Appelle quand tu arrives... Mais reste, si tu veux... Reste ! »

C'est une fois sur l'autoroute que je comprends.

En arrivant chez moi, et avant d'appeler Irène, je laisse un message à Walser : « Vous n'aviez pas déposé de copyright pour la séduction d'hôtesse avec don de cravate. Un type y a pensé et vous ne toucherez pas de droits d'auteur, tant pis pour vous, mon vieux! »

5

Avez-vous vu mourir une étoile ? C'est bouleversant, c'est de la lumière qui s'éteint et l'univers s'obscurcit.

Ensemble, il nous restait quelques jours à vivre...

Je fus plus assommé que triste. Plus déçu que malheureux. Distrait, étranger, j'observais Irène dans sa dernière duplicité, l'ultime mise en scène d'une séparation annoncée... A notre retour du Japon, Walser, une fois encore sarcastique, s'était moqué. « Avec tout ce qu'il vient de vous arriver auprès de cette femme, vous venez d'en prendre pour au moins trois ans. Trois ans, c'est déjà dix ans. Et dix ans, c'est toute la vie... »

Mais la durée et la constance n'étaient pas le fort d'Irène. Pourquoi utilisait-elle le masque du malheur pour me signaler un prochain départ ? Etait-ce pour que je la retienne une fois encore, ou tentait-elle de se persuader elle-même que sa vie avec moi était une catastrophe ? Les messages sur le répondeur gardaient les apparences de l'amour : *Il est six heures du matin, je quitte l'hôtel. Je te rappelle dans la journée.* Clic. Dix jours auparavant, c'était encore : *Mon amour, tu dors, il est six heures du matin, je quitte l'hôtel. Tout à l'heure, je t'appellerai. Plein de baisers de griotte.*

Dernière journée.

Au petit déjeuner dans un café de Saint-Germain, je propose d'aller, pour sa semaine de congés en novembre prochain, à Venise ou à Prague. Irène n'est pas enthousiaste. « En ce moment, je n'ai de goût à rien... On verra ! » Elle achète une paire de chaussures à talons hauts, imitation lézard. Nous passons devant une boutique *Max Mara*. En vitrine, une veste en laine chinée, noir et blanc. J'ai envie de la voir sur les épaules d'Irène ne serait-ce qu'un jour, une soirée. La vendeuse n'a plus sa taille mais je suis certain que le mannequin de la vitrine correspond à ses exactes mesures. J'ai raison. Irène garde la veste sur elle, semble embarrassée pour me remercier, mais m'embrasse comme à l'accoutumée. Elle décide de passer l'après-midi chez Corinne, son amie, en banlieue ouest. « Bonne idée », lui dis-je.

Nous nous donnons rendez-vous vers 20 heures dans une brasserie de la Bastille.

En début de soirée, alors que je m'apprête à retrouver Irène à la Bastille, Corinne me téléphone. « Irène vient de quitter la maison pour te rejoindre. Je voulais te dire... En fait, elle est venue me voir pour me demander un avis. Elle a rencontré quelqu'un, et ne sait pas quoi faire... Je lui ai dit qu'elle était assez grande... Bref, elle m'a surtout énervée... Elle qui parle constamment de se stabiliser, la voilà prête à repartir tête baissée... Et tu sais quoi ? Elle m'a apporté la photo du type. Beauf sympa... Ahurissant non ? J'ai pensé à une adolescente qui faisait la tournée des copines pour leur montrer sa nouvelle conquête... »

Il ne me reste qu'à entendre les mots d'Irène.

6

C'est notre dernier rendez-vous et tu as toujours été en retard. Pas dans ton travail, uniquement lorsque tu dois me retrouver...

J'ai glissé la lettre de Lucia dans ma poche de blouson, je ne l'ai pas ouverte et vais sans doute te la remettre. Tu entreras dans la brasserie et les hommes vont te regarder, tu seras heureuse, tu aimes ces regards qui te rassurent et te caressent. Ma griotte, ma poussière d'étoile, mon cabri infini, j'aime encore te dire ces mots qui nous allaient bien et qu'il va falloir effacer des petites ardoises de l'amour. Tu es en retard, mais c'est normal, la banlieue, la circulation, ce n'est pas ta faute, je le sais, rien n'est jamais de ta faute, tu es une maudite et le monde sans cesse te fait mal, l'argent te glisse des mains, l'amour te glisse du cœur, les promesses te glissent de la mémoire, tout glisse sur toi et semble ne jamais atteindre que le creux des apparences. T'es-tu inventé un jour un bunker pour t'y enfermer à jamais et ne plus laisser apparaître que quelques ingrédients qui permettent la survie et la gestion de ton quotidien : un sourire et un parfum pour masquer ce que la forteresse a confisqué et qui parviennent à donner l'illusion d'une perfection discrète.

Mais tu es là, Irène, tu arrives et, comme prévu, les regards te suivent, vas-tu m'informer sur l'essentiel du moment, ou continuer à me rendre acceptable le récit d'une dépression, mêlé au silence d'un secret ? Tu ne dis rien et commente simplement l'attitude distante de ton amie Corinne, son indifférence même, et là encore, tu n'as pas de chance, même ta meilleure amie ne parvient plus à entrer dans tes jeux...

Ce soir, tu te déshabilleras, je te *regarderai*, tu iras te démaquiller et je viendrai te *regarder*, tu entreras dans le lit et je *regarderai* ton corps disparaître, tu m'embrasseras et tu t'endormiras. Je *regarderai* ton sommeil, ton visage et tes seins découverts. Je *regarderai* aussi la nuit se dérouler, une nuit du monde encore pour toi et encore pour moi.

Au matin, avant ton réveil, pour sentir une fois encore tes parfums, je remonterai lentement le long de ton corps, je m'attarderai, reviendrai, repartirai, et placerai dans un coffret de ma mémoire tout ce que ma dernière promenade sur ta peau m'aura raconté. J'embrasserai tes lèvres endormies et je me lèverai pour préparer ton café. J'assisterai à ta douche chaude et à ta douche glacée, je tendrai une longue serviette pour que tu puisses t'y blottir et te regarderai passer du lait hydratant sur ta peau, je me rendrai au salon, pour cette fois, écouter les bruits de ta dernière présence dans la salle de bains...

J'aurai oublié de te donner la lettre de Lucia, mais sera-ce vraiment un oubli ? Peut-être renfermait-elle un secret qui t'aurait blessée. Lorsque tu seras habillée, que tu auras revêtu l'ensemble bleu marine d'uniforme avec lequel je t'ai rencontrée, je te demanderai si tu n'as rien d'important à me dire, et tu me diras que tu es triste de partir. J'insisterai en reformulant ma demande, quelque chose qui pourrait changer ta vie et la mienne, et là, ton sac de voyage à la main, tu me diras, j'ai rencontré un homme. Je te dirai les deux derniers mots que tu entendras de ma bouche en y ajoutant un point d'interrogation. *Et alors ?*

Tu répondras en pâlissant par quatre mots, les derniers également : *j'ai été troublée.*

7

« J'ai été troublée... Ce sont ses derniers mots, Walser!

Je l'ai regardée, puis comme les gens qui vont mourir et qui, paraît-il, voient se dérouler leur vie entière, je me suis revu près du lit d'hôpital de Lucia, avec nos promesses, au temple de la mer du Japon avec nos serments, au bord de la Méditerranée ce dernier été, ces lieux et instants de magie qui étaient nous, habités par nos corps et par nos sentiments, notre sillage à tous les deux laissé aux souvenirs du monde... J'ai compris alors qu'elle venait de transgresser tout cela par un élan du moment qu'elle n'avait pas su, ou pas voulu maîtriser, et que, pour elle, ce que je viens d'évoquer était déjà banalisé. Un désir remplaçait l'autre, et ainsi de suite pour le reste de sa vie... Ce fut comme un sacrilège qui venait d'entrer par effraction dans notre histoire.

Je me revis à l'âge de sept ans, lorsqu'un ami de classe indélicat m'annonça que le père Noël n'existait pas. Un monde alors se désenchantait et je sus que je n'aurais de cesse de le réenchanter, avec des mots et des musiques, avec des femmes et des amours. Irène fut cette femme qui réenchanta le monde perdu d'une enfance, et celle qui le fit disparaître. Il n'y eut pas de dégoût comme je l'avais imaginé, seule une indifférence douloureuse.

Je pris un grand sac de sport et enfouis ce qu'il restait de ses affaires à l'intérieur. Elle le mit à son épaule, puis elle claqua la porte et je ne la revis plus.

– Pour cette femme, l'éternité ne durait que six mois ! » dit Walser.

Je le sentis hésiter. Pourtant, je ne le vis pas chercher de cigare comme à l'habitude. Il continua : « Vladimir m'a raconté l'histoire des trois statuettes qu'il vous a offertes... Justine donnait, Irène a beaucoup pris, vous avez connu les deux femmes qui devraient vous permettre à présent de rencontrer celle qui vous attend... Mais aucune femme ne nous attend nulle part, vous le savez, et cette troisième statuette n'est que l'image d'un rêve, le vôtre, le mien, celui de chacun d'entre nous qui veut croire, contre vents et marées, qu'une perfection immobile se tient à l'écart du chaos, pour accueillir nos détresses et nos espérances... C'est un rêve de naissance, n'est-ce pas ! »

III

L'ÉTERNITÉ

« Il sentit qu'il y avait eu là un immortel amour. »

Stefan Zweig

1

En tout premier lieu, l'homme scia l'anneau que je venais de lui apporter. Avec une mailloche, il en redressa la courbe avant de l'aplanir plus encore. Alors seulement, il glissa dans un laminoir ce qui était déjà une petite galette. Il répéta plusieurs fois la manœuvre, réglant chaque fois la taille de sortie, au plus fin. « A partir d'un seul gramme d'or, précisa-t-il, on peut faire une pellicule mince de deux microns et grande d'un mètre carré. » Tenant délicatement la feuille déjà large, il vint vers moi et me la fit toucher avant de la placer à l'entrée du dernier laminoir.

Fragile et inconstante comme du vent, je vis apparaître l'ultime feuille d'or. J'eus envie d'en rester là et de proposer à l'homme de l'art, de la plier comme une lettre afin de l'envoyer, ou à Walser ou à Keiko, auxquels je n'aurais pas indiqué l'objet d'origine ayant servi à fabriquer l'étrange cadeau qui leur parvenait. Mais je me tus et laissai l'homme terminer le travail que je lui avais commandé.

Lorsque Irène avait claqué la porte de mon appartement, j'étais allé devant un miroir afin d'habituer aussitôt mon visage à se laisser regarder, sans elle à mes côtés. Je remarquai l'alliance qui ne m'avait pas quitté depuis la *cérémonie*.

A cet instant, me dis-je, puisqu'elle ne signifie ni la durée, ni la fidélité, ni l'amour, là où elle se trouve, à mon doigt, elle n'est plus à sa place dans le monde. Je la retirai...

... Et sa place dans le monde ne peut être un placard, ni l'obscurité d'un tiroir, alors : partout et nulle part.

L'orfèvre, après avoir broyé la feuille d'or sans perdre une seule parcelle de métal, me remit une petite urne, de la taille d'un dé, et je partis dans les rues de Paris. Je changeai de rive au pont des Arts et là, sans plus chercher ailleurs un lieu autrement remarquable, je m'assis quelques instants sur un banc, en plein milieu. Le fleuve était sombre, le soleil allait disparaître et, comme pour les cendres de Lucia offertes au ciel et à la mer du sud, j'ouvris la petite urne et lançai la poussière d'or à la nuit qui s'annonçait, et au vent qui l'emporta.

2

C'est cruel un amour.

Ça ne prend rien aux étoiles ni aux fleuves. Ça vit en animal dans une tanière de misère et s'enterre sur place, au milieu des acacias ou des ronces, là où il a existé, là où il a pris fin. C'est une inquiétude, un rêve manqué, une illusion. C'est une parenthèse de vie entre des tableaux, une symphonie et des haut-parleurs de gares. Car il n'y a que des séparations et il n'y a que des retrouvailles. Les débuts et les fins s'enchaînent pour que le temps demeure absent.

C'est une dépense inouïe de mots, de gestes, de silences afin qu'une grammaire inédite trouve sa place entre deux personnes différentes. Rien ne les prédisposait à cette union, et le hasard du sexe, du désir, d'un rêve d'enfance fait que ces appels invisibles trouvent un être humain à envelopper, à happer, à enlacer, et une histoire se déclare. Chacun pense à la fin, l'appréhende, mais les mots prononcés, les gestes assumés tracent déjà les points de suspension d'une phrase commencée.

Alors, on imagine une strophe, un paragraphe, et c'est un roman qui s'annonce avec ses chapitres, ses drames et son point final. Quelques centaines de pages plus tard, l'histoire est bouclée. Les livres se referment et les amours se tuent.

3

« Que restera-t-il de nous, Walser ? De ce curieux lien qui nous a unis malgré nous, et à cause de nous ? »

« Une trace dans le monde, à jamais, répondit-il. C'est cela qui rend sacré l'amour au-delà de l'histoire elle-même et du temps passé par ceux qui l'ont vécue. Vous n'oublierez pas Irène, ne comptez pas là-dessus, et si cela peut vous rassurer, elle ne peut vous oublier. Simplement, votre histoire est sortie du temps des corps et des baisers pour aller rejoindre l'éternité, s'acheminer là où le désir n'existe pas, où seuls comptent l'extrême attention que vous vous êtes portée l'un à l'autre, vos battements de cœurs et votre rêve insensé que cela puisse durer. Vous avez commencé par un mystère, vous finissez par un autre mystère. Mais quelle importance ! A la fin du voyage, vous en savez un peu plus sur vous, sur elle, mais rien sur l'extraordinaire instant qui vous a fait vous rencontrer, et tout ce que chacun a aussitôt investi, de son histoire et de ses rêves les plus secrets, dans ce visage et cette silhouette qui venaient de lui apparaître. Car sachez-le, c'est bien d'*apparitions* qu'il s'agit : vous vous êtes apparus l'un à l'autre comme deux anges, venus du ciel, pour apprendre l'amour dans un corps de femme et dans le corps d'un homme. »

Yasuko Hayashi
a spécialement calligraphié
les idéogrammes
de La cérémonie *pour ce livre.*
Je la remercie infiniment.

TABLE

Achevé d'imprimer le 23 avril 1996
sur presse CAMERON
par Bussière Camedan Imprimeries
à Saint-Amand-Montrond (Cher)
pour le compte des éditions Grasset
61, rue des Saints-Pères, 75006 Paris

N° d'Édition : 10036. N° d'Impression : 4/366
Première édition : dépôt légal : mars 1996.
Nouveau tirage : dépôt légal : avril 1996.

Imprimé en France

ISBN 2-246-50291-8